CW00404899

Adolf Helfferich

Turan und Iran - Über die Entstehung der Schriftsprache

Adolf Helfferich

Turan und Iran - Über die Entstehung der Schriftsprache

1. Auflage | ISBN: 978-3-75251-277-9

Erscheinungsort: Frankfurt am Main, Deutschland

Erscheinungsjahr: 2020

Salzwasser Verlag GmbH, Deutschland.

Nachdruck des Originals von 1868.

TURAN UND IRAN.

UEBER DIE

ENTSTEHUNG DER SCHRIFTSPRACHE

VON

ADOLF HELFFERICH.

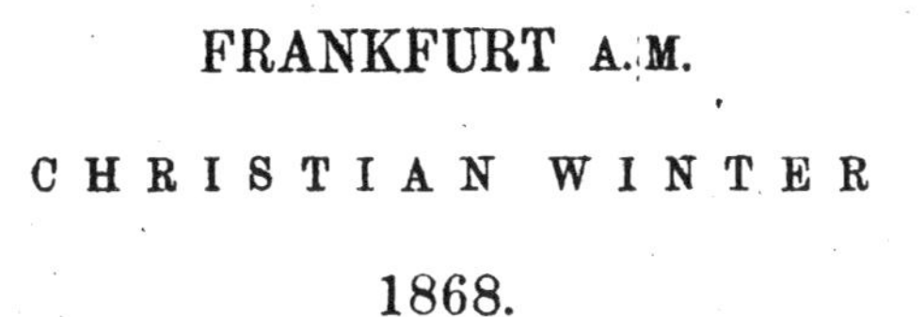

FRANKFURT A. M.

CHRISTIAN WINTER

1868.

Fr. Nies'sche Buchdruckerei (Carl B. Lorck) in Leipzig.

INHALT.

I.

Die Zeitalter.

Es gibt nur einen ursprünglichen und darum alles geschichtliche Leben nicht blos begleitenden, sondern geradezu bedingenden elementaren Gegensatz: das Feste und das Flüssige. Luft und Feuer sind secundäre Elemente, die Luft im Grunde nicht einmal das, indem sie nur als Hauch oder Wind dem Naturmenschen sich fühlbar macht, wogegen das Feuer, insofern es nicht als specifische Licht- und Wärmewirkung an den Sonnenkörper gebunden erscheint, erst als künstliches Erzeugniss Dauer gewinnt und deshalb den beiden Urelementen weit später beigezählt wurde.

Zwischen Erde und Wasser findet der natürliche, einem Jeden verständliche Unterschied statt, dass die menschliche Vernunft von der Festigkeit der Materie immer mehr Antriebe herleitete, das anfänglich Allen Gemeinsame durch mehrere Mittelstufen hindurch in individuelles Eigenthum hinüberzuleiten, und umgekehrt in der Wandelbarkeit und Veränderlichkeit des flüssigen Elements einen hinlänglichen Grund sah, um die der Benutzung des Wassers willkürlich auferlegten Beschränkungen mehr und mehr zu beseitigen. Das berüchtigte Paradoxon J. J. Rousseau's, Jammer und Elend aller Art wären dem Menschengeschlechte erspart worden, wenn der Erste, der sich unterstand, ein Stück Land einzuzäunen und für sein Eigenthum zu erklären, von den Andern als Betrüger entlarvt und bestraft worden wäre, findet seine bündigste Widerlegung durch das Zeugniss der gesammten Culturgeschichte, deren Arbeit sich in dem Bestreben concentrirt, Besitz und Eigenthum so scharf als möglich gegen einander abzugrenzen. Eine wichtigere Arbeit des weltgeschichtlichen Geistes gibt es nicht: was immer er aus seinen geheimsten Falten hervorbringt, es rankt sich unter allen Umständen an die mehr oder weniger entwickelte Rechtsidee und an die persönliche Geltung, die Jeder inmitten der menschlichen Gesellschaft beanspruchen kann. Eben jenes gefenzte Stück Land, auf das Rousseau so schlecht zu sprechen ist, hat von jeher alle Kräfte der nach höherer Gesittung ringenden Menschen in Anspruch genommen, in der Dichtung so gut als im Leben, und weil es einmal zum Wesen der endlichen Vernunft gehört, in anschaulichen Symbolen sich ihrer Ideen klar bewusst zu werden, so kann die Forschung nicht umhin, sich nach symbolisirten Grundvorstellungen des Gesellschaftslebens umzusehen. Lotus und Schildkröte dienten in China, wie in Indien und Aegypten, dazu, in dem wandelbaren Raume und der wechselvollen Zeit die ersten festen Punkte anzudeuten, vermittelst deren das schweifende Jäger- und Nomadenthum zum Stillestehen und damit zum Nachdenken über die sittlichen Aufgaben des Menschengeschlechts gelangte. Wer eine auf dem Wasser schwimmende Schildkröte in Betracht zieht, der kann sich kaum ein passenderes Gleichniss für das gesicherte Dasein von Schiffern und Fischern denken, vorausgesetzt dass ihm seine Einbildungskraft gestattet, sich ein analoges Bild von der auf dem Fische ruhenden Erde zu machen; die Blätter und Blumen der *Victoria Regia* und verwandter Wasserpflanzen, die zugleich schwimmen und durch den Stengel (*κορσιον*) am Boden festgehalten werden, dienen als ein nicht weniger ansprechendes Bild für die Niederlassungen während der Pfahlbauperiode, inmitten des schützenden Wassers und schier das ganze Steinzeitalter hindurch. In *saxum* und ahd. *sahs* hat sich dasselbe als die früheste Periode der „Ansässigkeit“ ebenso zwanglos ausgesprochen, als in mag. *sas* (Adler), dessen Horst auf hochragendem Felsengipfel eine unverkennbare Aehnlichkeit hat mit einem von Wasser umgebenen Pfahlbau. Die Finnen gaben ihrer Fähre den Namen *luotus*, der zu *lavo, lavi, lautum, lotum* und den germanischen Loden oder Lothen (*sortes*, goth. *hlauts*) stimmt. Die Thatsache, dass Pfahlbauten über ganz Mitteleuropa sich zerstreut finden, lässt nicht daran zweifeln, dass dieselben ein Erbgut der gesammten geschichtlichen Menschheit sind, und machen es insbesondere die Millionen Chinesen, die ihr Leben fast ausschliesslich von der Geburt bis zum Grabe auf dem Wasser zubringen, höchst wahrscheinlich, dass, wie an den Strömen China's, so auch am Ganges und Nil das häusliche Familienleben von schwimmenden oder eingerammten Wasserwohnungen ausging.

Zu weiterer und wesentlicher Klärung der Frage bedarf es der Bemerkung, dass die Iranische Heldensage den für die Geschichte der baktrischen und indischen Arier hochwichtigen Indus unter dem Namen Nil aufführt. Der Lotus war den Griechen wesentlich Fruchtbaum, der *lotus libycus* insbesondere Brotbaum, nach welchem Homer seine Lotophagen benannte; die Italiker verstanden darunter ihre Dattelpflaume und den sicilischen Süssklee; eben darum aber hat man das Recht, in dem mit Kreta und *χρι* (*χριϑη* Gerste) zusammenhängenden *χρινον*, das zugleich Lilie und Brot (*χρομυον* Zwiebel): Krume bedeutet, ein ähnliches Pflanzenbrot, wie im ägyptischen Lotus und der *χερατεια* (Johannisbrotbaum), verborgen anzunehmen und an eine Uebertragung des Brotessens von Aegypten nach Kreta zu denken. Aus *χρινων* (Lilienpflanzung) erhellt, dass diese Art Lilien, gleich den gewöhnlichen Getreidegattungen (*χριμνον* geschrotetes Getreide), im Grossen gezogen wurden. Wofern nicht die Identität, so doch nächste Verwandtschaft des *κριvov* mit *κριος* (Kichererbse), *γρωνος* (Grütze, franz. *gruau*), *κορχορος* (schlechtes Gemüse) versteht sich von selbst; nicht weniger, dass *κροτων* (Wunderbaum) den Namen *palma Christi* nicht von Christus, sondern von dem allgemeinen Namen *κρι* führt, der allerdings auch in *χρη, χριω, χρηστος, χριστος* enthalten ist und speziell Bezug hat zum Palmwein. Das Werkzeug für die Beschaffung aller mit *κρι* zusammenhängenden Saatfrüchte (*καρφος*) ist *κρωπιον* (Sichel, Sense), dessen man sich namentlich auch zur Niederlegung von *καρδαμον, καρδαμις* (Kresse und kressenartige Kräuter, wie *καρδος, κιρσιον, carduus,* Kardendistel) bediente, um *καρδαμαλη* (Kardenmehl) daraus zu bereiten. Wie bei andern Völkern die Soldateska von Hirse, Grütze, Hafermehl, so nährten bei den Persern sich die *Καρδακες* von *καρδαμαλη*. *Κερασβολοι* nannte man die nicht weich zu kochenden Hülsenfrüchte keineswegs davon, dass sie beim Säen den Ochsen auf die Hörner fielen, sondern weil man zuerst *κερασβολβοι,* hornharte Knollengewächse darunter verstand, die den Griechen nicht weniger schmeckten, als den Italikern der Fenchel.

Auf dem Festlande fanden die Herdenbesitzer zunächst Schutz nicht in der Niederung, sondern auf den Berghöhen, die sie mit Steinringen umgaben und wohin sie, wenn sie ausserhalb auf grösseren oder geringeren Entfernungen frische Weideplätze aufzusuchen hatten, bei drohenden Gefahren mit ihrer Habe flüchten konnten. In der Mitte zwischen Pfahlbau und Bergring lag das offene und zinspflichtige Bauerndorf als Vor- oder Aussenwerk in misslicher Lage und in der Regel dazu verurtheilt, die Kosten für die kriegerischen Gelüste der Andern zu tragen. Der indischen Mythologie zufolge ruhte der Weltschöpfer auf dem Lotus in der Art, dass die befruchtenden Staubfäden im Himalaja oder Himmel (finn. *jumala*) eingesenkt waren, wo die Schäfer ihre Hämmel weideten, deren Dung sie in die

Pistille auf dem Berge *Meru* fallen liessen. *Mr* (*mare*, Meer, Mauer) hat durchgehends den Sinn begrenzten Ackerlandes: äg. *mur*, dasselbe was *murus*, Binde und Vorgesetzter (*major*), *mer* anhängen, lieben (*amor*), *meri* küssen, scyth. *mar* Weg, מְרִים Einfenzung, *mir* russisches Bauerndorf entstammen demselben Lotusblatte, das Jahrtausende hindurch als das Charakterzeichen Oberägyptens angesehen wurde und in dem mit *Mirjam* gleichbedeutenden Priesterstaate *Meroë* seine geschichtliche Abzweigung von dem indischen Götterberge *Meru* nicht verleugnen kann. Die ägyptische Göttin *Mer*, mit Schilf und Hathorscheibe zwischen den Hörnern, stellt die älteste Getreidegottheit des Nilthals vor und findet sich wieder in dem *Hvergelmir* der Edda, der Werkmauer oder Grenze für die Werke, d. h. die Pflugarbeit an den Werkeltagen. Meerrettig, Möhre, Mähre, *μοιρα*, Mauritanien fallen dem theilbaren (*μειρομαι* mauern) Grenzlande anheim. Mit dem Phallus ausgestattet ist *Siwa* die Gottheit des Herdenviehs, der indische Pan, mit dem einzigen Unterschiede, dass *si* in der Frühzeit ausschliesslich oder doch vorzugsweise von der Schweinezucht ausgesagt wurde, während in Pan ganz entschieden die Rindviehzucht vorherrscht, *wa* und *pa* aber gleicher Weise den Sinn von „fahn“ oder „fassen“ haben. Im Finnischen bedeutet *sika* Sucke (Schwein), *siwân* hastig anfassen, *sinna* Jähzorn (Sünde), womit äg. *sâu, schâu* (Sau), *siu* (Stern, eigentlich der Ziehende) sich vergleichen lassen.

Siwa's Zeichen ist △ (Feuer), in der chinesischen Schriftsprache 厶 (*mow, movere,* schreiten, *manus*, Zehe), ein unstetes Leben auf den Haken, aber doch bereits mit einem häuslichen Verschluss, wie er dem Phallus, d. h. der geordneten Viehzucht, unentbehrlich ist. Das Ziehen besteht nur darin, dass eine in Haufen von Zehn und Hundert getheilte Völkerschaft gemeinschaftlich fortzieht, wenn sie eine Bodenstrecke ausgenutzt hat, oder aus andern Ursachen sich zu verändern wünscht. Ihre Hauptbeschäftigung muss aber schon darum die Viehzucht gewesen sein, weil äg. *siw* einen Zuchtstier ausdrückt — das natürlichste Symbol Siwa's. Als Gemahlin gesellt sich zu Siwa *Bhawânî:* die Wanin des *ba*, äg. Holz (*baculum*), scyth.-türk. *bil* Feuer, mit andern Worten das Heerdfeuer (*ἑστια, Vesta,* skand. *Bestla*), das mit der Schweinezucht zuerst Bestand gewinnt. Assyr. *bal, pal,* scyth. *bilki* (Balken, Bilke), mag. *bel* Gedärm, *παλλα, παλλω* (Pallas); ferner assyr.-scyth. *pap, bib, bip* (stehen, vom Phallus ausgesagt), äg. *papa* gebären, Papa und Pappe sind von derselben Familie. Die andere Gemahlin Siwa's, *Pârwvatî,* meint *parva fides,* Bauerntreue, denn *par* oder *bar* hat nirgends einen andern Sinn, namentlich auch im Namen der Parsen, und *vati* ist die *fides* des *vades.* Als *Durgâ* nimmt sie die Standeseigenschaften einer Türkin oder Turanerin an: ist Thürwächterin oder Thörin, Thor's Gattin. Endlich verband Siwa sich mit *Kâli* (*καλη*, כָּלָה schmachtenden Auges, zugleich die einzige rechtmässige — כָּלָה — und darum abgesonderte — כָּלָא — Ehefrau), die ihrem Gemahl durch *confarreatio* (קָלִי in den Aehren geröstetes Getreide) und vor den zehn Zeugen der Gens (כֹּל Ganzes, *ager decumanus*) angetraut wurde. Zuvor muss sie als Braut (כַּלָּה) förmlich und feierlich aufgeboten sein: *καλειν, calare,* engl. *call,* ein ehrenvoller Ruf (קוֹל), wenn Niemand sie zu beschreien oder verrufen wagt. Die Identität der Kâli mit der griechischen Venus muss nichtsdestoweniger für ausgemacht gelten: wie schon die Namensverwandtschaft zeigt, ist das Milchmädchen Galatea die dritte im Bunde, deren rosige Schönheit auf den zottigen Polyphem einen so wunderbaren Eindruck machte, und so erklärt es sich, dass Firdusi seinen Piran vom Kala-Berg Hirten holen lässt.

Diese weiblichen Eigenschaften sind jedoch grossentheils erst im Verlauf der Zeit auf Siwa übertragen worden und gehörten ihm nicht ursprünglich an; um sein Verhältniss zu

Wischnu in das rechte Licht zu stellen, müssen deshalb die späteren Zusätze sorgfältig von dem Bilde des Gottes abgelöst werden, will man ihm in der *Trimurti* die richtige Stelle anweisen. Erst Wischnu ist der eigentliche Schutzgott der Bauern, sein Zeichen ▽ die den Boden aufreissende Pflugschar. Bei den Aegyptern war seine Hieroglyphe °u° (Korn), bei den Assyrern der Buchstabe Y (Ackerland), im Zeichen eine geöffnete Hand: *Kur,* wovon die Bedeutung „nehmen", in nächstem Anschluss an *κερας, Ceres, quiris, Cures, cura, curio,* Kurdistan. Die Scythen drückten durch *kur, kurpi* einen Berg aus, wofür sie gewöhnlich der Bezeichnung *sada* sich bedienten, wogegen die Parsen *daçta* sagten. Das scythische Y bedeutet *imid,* gleichfalls im Sinne von „nehmen", und wurde *mat* oder *mad* gesprochen. Es ist das Stammwort von Medien (Comitialland), im Kasdoscythischen *mada* Ackerland, woran sich *mida* gehen (*meare,* engl. *meet*) schliesst. Weil die Bauernwirthschaft bei ihrem Entstehen und Jahrhunderte lang nicht Familien-, sondern Nachbarnbetrieb, eine Oekonomie von Nahebauern oder Mitengenossen war, eine Eigenthümlichkeit, die das russische Bauerndorf bis in die neueste Zeit bewahrte, so empfiehlt es sich, in dem chinesischen Zeichen ⺀ (er und sie) die gemeine Anrede des Bauern (er) und den Ausdruck für eine geringe Vielheit (sie) zu erblicken.

Der Name Wischnu lässt sich in die Bestandtheile Vieh, Schild und nahe zerlegen: Nachbarnwirthschaft von Viehschildern, zugleich von Wischen und Fischen, die ja auch in Schaaren ziehen und überdies nach Zunftrecht bei ihrem Erscheinen gefangen werden. Es ist der Bauernstand gemeint, an den Christus in der Bergpredigt seine beseligenden Trostworte richtete, dem er begreiflich zu machen suchte, dass bei festem Zusammenhalten in Liebe und Treue von wenigen Fischen und Broten viele bedürfnisslose Menschen satt werden können. Während der Siwacult in den nördlichen und westlichen Theilen Indiens seine Heimath hatte, wurde Wischnu in den mittleren und südlichen Landschaften verehrt, von wo der Cult sich erst später in nördlicher und westlicher Richtung ausdehnte. Wischnu heisst *Haris*, der Haarige, nämlich Gras- und Heugrüne: חֹרִי Gedörrtes, und zwar auf dem הוֹר, הַר, *ὁρος*, Matte, הָרָא das medische Alpenland, הָרָה befruchtet sein, חָרָא wegmähen, חֹרִי Linnen: lauter Eigenschaften, ohne die der Bauernstand nicht bestehen kann. Wischnu's Gemahlin *Srî* ist die Sara des Alten Testamentes: Besämerin (*serere*) oder Bestockerin, und zwar innerhalb der Einfassungsmauer (שָׂרָה Mauer, שֵׂרָה Kette, Ring, שְׂרוֹךְ Riemen), wovon das Dominium oder Eigenthumsrecht (שָׂרָה Herrin) abhängt. *Lakschmi* nennt sich Wischnu's zweite Gemahlin als Emphyteutin oder Locherin (*locus*), die den Boden nur belecken (לָחַךְ) darf. Ihr mit der Hand zu umspannendes (*λιχας*) Ackerlos (*λαχος*, goth. *hlauts*) enthält nur Löcher, Lachen, Lucken, Laken (*λαγων*, *λακκος*, לַח, lachig, feucht), worin Grünes gepflanzt wird (*λαχανευω*). Das Lochige, Löcherige, Lückenhafte (Loki und Luckauer) einer solchen Erscheinung findet seinen entsprechenden Gehörseindruck in dem stossweise erschallenden Gelächter (*γελαω*, goth. *hlajan:* eine Lache aufschlagen). Bei Jeglichem, was leckt, locht und lacht, bildet *lac* (*γαλα*, *γαλακτος*), die auf der Gäa und aus Grünem gewonnene Milch, die Grundanschauung, an die sich, abgesehen vom Lauche, der künstlich gezogene Lein anschliesst. Das *schmi* in *Lakschmi* stammt von שָׁמָה und שָׁמַיִם Himmel: *σημα* und *simia* machen sich in der Höhe bemerklich. Dem arabischen Lokmân (Milchmann) liess Gott die Wahl zwischen dem Leben von sieben Kühen und sieben Adlern, zwischen der längsten Lebenszeit eines Kühers und eines Altbauern*); der Weise handelte sehr klug, dass er sich ein Sieben-Adler-

*) Sprenger, Mohammad I, 94.

Leben erbat, denn der Adler erreicht der Sage nach ein Alter, das für das höchste gilt, nämlich 80 Jahre.

Zehnmal lässt die Sage Wischnu aus den Höhen niedersteigen und nennt sein Kommen *avatâra: aevum terrae*, אָוָה sich sehnen, und zwar nach Pflugland. Besungen finden sich die *awatâras* in den *purânas* oder Bauernliedern (*arvalia*), da Bauer gleichbedeutend ist mit *puer* und *purus*. Zuerst erscheint er unter der Gestalt eines Fisches (ass. *nuni*) in dem oben angegebenen Sinn, jedoch mit dem Beisatz, dass möglicher Weise daneben an die, zumal für den Reisbau, hochwichtige Canalisation gedacht werden kann. Seine zweite Verwandlung in eine Schildkröte, die, ähnlich den Fischen, ein genossenschaftliches Dasein führt, erinnert an den Geieradler (*gypaëtos barbatus*), der auf den kahlen Schädel des greisen Aeschylus eine Schildkröte fallen liess. Enthält der Beiname *Aescingas* oder *Oiscingas* (Eschenträger), den die Könige von Kent führten, einen Hinweis auf ihre kriegerische Tapferkeit, so verräth auch der Name des Aeschylus einen Eschenmann, also dorisch (*δορυ*) Gesinnten, dessen erhabene Dichtungen durchgängig Krieg, den persönlichen Kampf der freien und grossen Menschennatur mit dem Schicksal, athmen und den behaglichen Beschäftigungen des Friedens keinen Raum gönnen. Darum wirft der Geieradler, der von den Abfällen des Bauerndorfes lebt, dem kriegerisch gesinnten Greise die friedliche Schildkröte an den Kopf, zum Zeichen, dass es in seinen Jahren Zeit sei, nicht immer an den Krieg, sondern auch einmal an den Frieden zu denken, anstatt der Phalanx, der behäbigen Bauernwirthschaft ihr Recht angedeihen zu lassen. Als Eber oder, was dasselbe, Ebräer durchwühlt Wischnu mit seinen Hauern (Hacken) den Boden, um ihn empfänglich zu machen für die Aufnahme des Saatkorns, hat aber dabei einen harten Strauss zu bestehen mit dem in den Bergen hausenden Riesen *Hiranjakscha*, oder iranischen Ochsenschild und Ochsenpflug (*scha* =

Pflugschar), wie sich später zeigen wird. In einen Mannlöwen verwandelte er sich als Herkules, der seine mächtigen Gliedmassen in die Löwenhaut, das deutsche Hergewäte, steckt und den Riesen *Hiranjakasipu*, d. h. die iranische Ochsensippe, bekämpft. Zwerggestalt nimmt er an gegen den Tyrannen *Mahâbali*, wörtlich: Mache- oder Magenpfahler, der in Balingen und Pfullingen zu Hause ist und hoch zu Rosse auf dem Plane erscheint, gegen den klugen Zwerg aber ebenso wenig etwas ausrichtet, als der plumpe Goliat gegen den kleinen David. In China heisst das Zwerggeschlecht *pă* und gehört dem Süden, näher bestimmt dem Striche *kiang-su* mit der Hauptstadt *kiang-ning* (Nanking) an, wo die Däumlinge, die auf der niedrigsten von den fünf Altersstufen (*nan*) stehen, in schlechtem Nanking (*nang*) gehen, wogegen die nordischen Petscheli- oder Patschulileute, die Peking zur Hauptstadt haben, als Viehzüchter dem riesigen *Mahâbali* gleichen und mit ihren ledernen und leinenen Kriegsgewändern (*pĕ*) und Kriegswagen (*pa*) die Südlinge sich unterwarfen. Als *Balamrâma* (Pfahlrömer, *ῥώμη*, finn. *ramu*, *fors*: Bauernstärke und Bauernglück) und *Parasurâma* (Parsen- oder Bauernrömer) hat er zu Gegnern die *Kschatrijas*, d. h. Bogenschützen oder *hastati* (קֶשֶׁת Bogen, רֵעַ Gelärm, Genosse, רֹעֶה Hirt, *rajah* im Arabischen Herde und Ungläubiger), die germanischen Losleute oder Liten, die beim Aufgebot durch ihr lautes Benehmen auffielen*). In der Eigenschaft eines *Râmatschandra* oder Starkzanders (Romzünders) führt Wischnu die צִנְתָּר (Schuss- oder Zündwaffe, wovon der Name Zander, engl. *pearch-pike*, *simitar*, *cimatarra*, pars. *schimschir*) im Streite mit *Rawana*, dem Raben oder Rauber auf Ceylon. Zum achten Male steigt er hernieder als *Krischna* oder כֹּרֶשׁ (Cyrus), gebietet in der Eigenschaft über die faulen Bäuche (כְּרֵשׂ) der Cretenser

*) Helfferich, Erbacker II, 132.

oder Gerstenbauern (*κριθη, κριτης*), und bezwingt als Liebhaber der Nymphe *Radha* (Pflugrad) oder Bodenzertheiler (קְרַשׁ, wovon Karst) den aus den Höhen niederfliegenden Drachen *Kalija* (קַל, schnellfüssig wie Achill — *ποδας ὠκυς*), oder Kalauer, der zu den *Comitia calata* und dem altfränk. *leodecal* (Ruf- oder Ruggericht) gehört. Zu ihnen, wie zu der Versammlung aller Wehrpflichtigen gehört es, im „Kalten" (Freien), hier auch auf „Kahlem" (Hügel) abgehalten zu werden. Weitaus die grösste Bedeutung erlangte Wischnu als Buddha oder Hauser: (aram.) בוּת hausen, פוּת von einander abstehen, also Hauser oder Eigenbrödler, die ein abgesondertes und friedliches Familienleben zusammen führen. Engl. *but, butt* (Grenze), *bud* Knospe, Kalb deuten auf eine Familie, die für sich „futtert und buttert", eine Eigennahrung (*food*) hat, weshalb es nicht dem geringsten Zweifel unterliegt, dass in ungar. *Buda-Pest* בוּת und פוּת (die Pusta) als Correlata enthalten sind, gleichwie Buda der jüngere Bruder *Atila's* (mag. *atzél* Stahl, Etzel) war. Aus finn. *pû* (Baum, Holz), *puti* (Lictor), *putku* (aufrechte Stellung des Puten), *putkama* (Putenkamm, Puttkammer, Hautwulst) darf gefolgert werden, dass *Buddha* seine Behausung mit Pfählen umgibt, und dass hundert (finn. *putkah*) solche Behausungen eine Dorfgemeinde ausmachten. Der Buddhismus ist die Religion des Familienlebens. In letzter Verwandlung erscheint Wischnu als *Kalki*: Kalchas, Kalker in Kolchis, dem Kelch- und Weinlande (קַלַּחַת Kelch und Kessel, *calyx*, mag. *kulacz*, unser Kuhlatz, die hölzerne Feldflasche der Kalauer), wozu sich der Kalkboden (*calx*) besonders eignet, vorausgesetzt dass der Weinpflanzer gegen den Wechsel der Koppelwirthschaft geschützt ist und in seinem Weingarten als einziger Eigenthümer schaltet und waltet (כֶּלַח und קָלַח Festigkeit der Stockpfähle). Bezug darauf hat es jedenfalls, dass die zehn Stämme Israels in den assyrischen Distrikt כֶּלַח verwiesen wurden, wiewohl schwer zu sagen ist, was man darunter zu verstehen hat, ob ein ansässiges Familienleben oder Tributpflichtigkeit.

Wie man aber auch die Frage ansehen mag, damit hat es seine Richtigkeit, dass in seiner zehnten und letzten Wandlung Wischnu bereits an das Gebiet *Brama's* streift. Legt man das Siwa- und das Wischnuzeichen übereinander, so entsteht der Drudenfuss ✡*), das Symbol für patricisches Eigenthum und Majoratsrecht, das eigentliche *proprium,* das dem schweifenden Siwisten Satan Pein macht, wenn er sich innerhalb desselben hat fangen lassen. Hier gebietet die souveräne Machtvollkommenheit der Rechtsperson, wie es den Anschein hat, das chinesische 土, das, *tu* oder *tau* gesprochen, geschlossenes Grundeigenthum, als *sse* einen Herrn oder Staatsbeamten ausdrückt. Im altchinesischen Duodenar bedeutet *sse* sechs: das Oberhaupt von fünf Gemeinen, wohl mit Rücksicht auf die sechs Winkelspitzen der Figur, wobei besondere Beachtung verdient, dass, wie *προ* (*πρα* in *πρασσω*, *πρε* in *πρεπω*, *πρεσβυς*, *πρη* in *πρηθω*, ausgesagt von der *aura*, *πρι* in *πριω* scheren, und *πρινος*, *πρυ* in *πρυμνητης*; *βρα* in *βραβευς*, *βρε* in *βρεμω* und *βρεφος*, *βρι* in *βριζα* Roggen, *βρο* in *βροτος*, *βρυ* in *βρυκω*, *βρυον*), *pro* (*prae* in *praebeo*, *praetor*, *pre* in *precarius*, *prenso*, *pri* in *primus*, *priscus*, *privo*, *pru* in *prudens*; *bra* in *braca*, *bre* in *brevis*, *bri* in *britannus*, *bru* in *bruma*, *brutus*), *vor* (*forum*, *für*) im Griechischen, Lateinischen und Deutschen, so *sse* im Chinesischen als Vorschlagssylbe eine vordere, fürstliche Stellung oder ein Voranstehen anzeigt. Es ist der altdeutsche *Fro* und seine Gattin *Freyja* (finn. *prouwa*) mit der Menge Derivaten, die sich alle auf „frei" zurückführen lassen. Den ältesten Sinn von *pro*, *fro*, *vor* enthält *προβατον*:

---

*) Dies ist die ursprüngliche Gestalt des Drudenfusses, woraus das dreifach verschlungene Dreieck, oder das Fünfeck mit gleichschenkligen Dreiecken abgeleitet wurde.

Schafzucht und Schafrecht, ohne die dem Alterthum die Vollfreiheit ganz undenkbar war. Unter dem Bilde der Sonnenscheibe meint äg. *pri* oder *fri* (thebaisch *pre*, memphitisch *phre*) dasselbe Bramanenland (patricisches Grundeigenthum), das gesalt, d. h. mit dem Wollfaden umspannt sein muss, soll seine Unveräusserlichkeit gesetzlichen Bestand haben, wozu weiterhin der Sperber als Symbol des befruchtenden Düngers unerlässlich ist. Im Scythisch-Assyrischen hat das Wort „Vogel" den Sinn von Hilfe, Unterstützung; dass aber die ägyptische Sonnenscheibe (*sol* der Salung) auch anderwärts aufs Engste mit dem Wollenrecht verwachsen ist, dafür spricht der Feuerraub des Prometheus und des iranischen *Serduscht*. Die Auszeichnung, die ein Freiherr genoss, dessen Gut durch Erdwälle, Ketten, Fäden, Marksteine eingefasst und darum steuerfrei war, hiess *honor* (altspan. *honra*)*); das Geschlecht der Vollfreien (*honesti*) ist die *φρατρια* oder *fraternitas*, deren Oberster im Persischen *fratama* hiess. *Φραγμα* (Gehege), *φραδη*, *φραζω*, *φρασσω*, *φρεαρ*, *φρην*, *φριξ* (*φριξος* Widder), *φρισσω* (franz. *moutonner*), *φρονεω*, *φρερα*, *φρυγανον*, *φρυασσομαι*, *φρυνος* u. s. w. stimmen genau zu unseren von *fro* abgeleiteten Wörtern. Das assyrisch-hieratische Zeichen für Herz und Stadt (*lip:* Lippe und Lieben) enthält einen ähnlichen Einschluss ◇, der wie unsere Minne (Liebe und Verwandtschaft) gedeutet werden muss, und da das einfache Bild, ohne die Gilde im Innern, Sonne bedeutet, so weist dies gleicher Massen auf die Salung (*sol*). Mit einem wagerechten Verschluss versehen wird die Sonne zum Heerdfeuer; mit einem horizontalen Keile zur Rechten und als *nim, num* gesprochen, entsteht daraus die Welt im Kleinen (*νομη*, *νομος*); mit einem Querstrich zur Linken das Nahesein (*na*) der linken oder halbfreien Nachbarsleute. In die Länge

---

*) Helfferich, Westgothenrecht 268.

gezogen und mit sechszehn Vertikallinien ausgefüllt, ausserdem mit einem Griffzeichen zur Linken, wird ◇ zum Symbol des Königthums, das von den Verschlussleuten die Steuer einzuziehen hat. Freiherrliche Würde erhält der Einschluss erst durch die vier Binnenpunkte des Drudenfusses ∷, wodurch das Viereck seine natürliche Basis erlangt und nicht mehr aus den beiden Dreiecken Siwa's und Wischnu's zusammengesetzt erscheint. Sehe ich recht, so soll die aufwärts gekehrte Spitze in △ die Hörner der Herdenthiere in der Höhe, die abwärts gekehrte in ▽ das Pflugmesser, wohl auch den Kiel und das Steuer des Schiffes versinnlichen; dagegen findet sich gegen jeden Einwand der Satz gesichert, dass die Lehre des Pythagoras, namentlich in ihrer Weiterbildung durch Platon, mittels des Drudenfusses ihr Staatsideal in der aristokratischen Verfassung eines herrschenden Standes von Bramanen, Eupatriden, Senatoren erkennen lässt, eines Standes, der, von jeglicher Kriegs- und Steuerpflicht befreit, einzig und allein mit dem Regieren sich abgeben, seine ganze Fürsorge der Gerechtigkeit, d. h. der Erhaltung der ständischen Unterschiede, zuwenden sollte. Insofern erklärt es sich von selbst, warum im Assyrischen ⊞ (*lu, dip, ṭip*) Schaf ausdrückt, und die acht Welthüter der indischen Mythologie, als Beschützer der freiherrlichen Bramanengüter, *Prithivî* heissen: *thius* des *pri*, Diener des Schafrechts. Der erste, *Indra*, soll weniger das sichtbare Firmament, als die latein. Präposition *intra, in terra,* innerhalb des Pfluglandes, ausdrücken; *Agni* (Feuer) ist Hüter der Schafe, womit allerdings das Feuer zusammenhängt, wie *ignis* mit *agnus*. *Jama* meint die Flussgrenze (יָם Meer, Westen, erhielt sich in *Jamaica;* יֵם warme Quelle; יָמַם tosen; יום die im Westen untergehende Sonne). *Sûrja* ist der Scharknecht (Scherer, סוּר Schur, Schererei; שׂוּר surren, herumgehen, aufrecht stehen wie eine Mauer; שׂוֹר ordnen, z. B. eine Kriegerschaar; שׂוֹר Stier). ***Waruna*** führt die Innung der Were oder Gewere, die wehrhaften (*verus*) Wargänger, Waräger (*viri*), Barone (*varones*). *Wajus* ist der Waid- oder Weidmann, chines. *wai:* Aussenseite, Ausschliessen, Fremder, rasch wie der „Wind", zuverlässig als Oberster der *Waiçjas* oder Waisen, Weizmänner vorgestellt, die sich von der Viehzucht dem Landbau zuwenden und (goth.) *vaihts,* Weizen, anfänglich die niedrigste Getreideart, bauen. Der Personenname erhielt sich im Campanischen *Bajae. Prithivî* meint nicht die Erde im Allgemeinen, sondern gepferchtes Ackerland, und hat man פָּרָת (Süsswasser, Euphrat) von der Schaftränke, פַּרְתְּם (Vornehmer) von Schafherdenbesitzern, Parthern wie Phrygiern und Prittwitzen, zu verstehen. *Soma* (*σωμα*), der Mond, aber seiner wachsenden und abnehmenden Phasen wegen mit Rücksicht auf das baktrisch-indische Somaopfer*), enthält einen unverkennbaren Hinweis auf den Mostzehnten (שׂוּם abschätzen, abschäumen; שׂוּם setzen und benennen), denn der Mond ist das Symbol zinspflichtiger Leute, wie die Sonne, die nicht ab- und nicht zunimmt, das Zeichen der Voll- und Ganzfreien. In *Kartikeja,* dem Götterboten und Heerführer, bildet dasselbe *κερας,* das in *Mercurius* die Eigenschaft eines Merkers (*quiris, cura*) anzeigt und dessen Rund in *καρα, καρδια, καρπος, carcer, cardo, carduus, καρδοπος, χαρων, χαρις, carus,* goth. *kara* (*cura*), finn. *kara* Pflugmesser, *Ceres***), *cerasus* Kern den Ausschlag gibt, die Grundanschauung: es ist der Leitwidder (finn. *karo,* woher die häufige Benennung der Pudel, aber auch *caro* als Schöpsenfleisch), der die *δικη* handhabt, das Recht im Krieg und im Frieden. *Ganesa* wurde der Gott der Gelehrten titulirt, weil die Zehntenverzeichner überall als die Erfinder der Schrift verehrt wurden; in Wahrheit

---

*) Helfferich, Erbacker I, 39.

**) Kernen nennt man in Süddeutschland den künstlich enthülsten Dinkel.

ist das Wort von *ganea* (Garküche), franz. *ganache* (Kauwerkzeug), *gannio* (kläffen), *canis*, *cantus*, finn. *kana* (Hahn) abzuleiten — die trefflichste Bezeichnung für einen gelehrten Wiederkäuer und Strohdrescher. In Betracht kommen ausserdem גָּנַז aufhäufen (das Zehntgetreide), גֶּם Speicher, גְּנַז Schatzhaus (geniessen, genesen), daher die auf dem Capitole gefütterten Gänse der Juno. Bei *Kâma* fällt es auf, dass im Gothischen kein einziges mit *kam* beginnendes Wort auf uns kam; es ist aber nichtsdestoweniger ausgemacht, dass der gekrümmte oder gewölbte Kamm (lat. *camella* Kelch, wovon *Camillus*, *καμπη* Biegung) zu Grunde liegt, und dass im Gegensatz zum rechtwinkeligen Freiacker der *campus* als krumm oder unregelmässig begrenzt vorgestellt wurde. Englisch *comb* und *camp*, letzteres gleichbedeutend mit *campus*, wohin der *combat* (Kampf) gehört, lassen sich nicht trennen. Im Lateinischen hat man unter *camera* ein kammähnliches Gewölbe zu verstehen, worin die *καμοντες*, *καμνοντες* oder Vereinsarbeiter (*γαμβρος*, Gambrinus, *κερμι*, Gersten- oder Weizenbier), die nach Cumanischem oder Campanischem Rechte leben, die Früchte ihrer gemeinsamen Arbeit (*καματος*) bergen, daher *kâma* Liebe, כָּמַה, äg. *kem*, Verlangen tragen (*γαμεω*). Der Monat, in welchem die Ernteerträgnisse in *cumuli* (Miten) gesammelt werden, ist der italische *Gamelion* (Juli), und das Thier, das dabei die nützlichsten Dienste leistet, das Kameel, anderwärts der Gaul (finn. *kamo*). Dass das eingeheimste Getreide geringen Werth hatte, erhellt aus *καμαξ* und *καμακιας* (Stengelfrucht, türkischer Weizen oder Kukuruz, der im *καμινος* geröstet genossen wurde). Die italische *polenta*, soviel als Hühnerbrei, ist uralt, wichtig insbesondere für das Augurium, nicht minder gewiss, dass der Name *khemi* für Aegypten denselben Voraussetzungen entspricht. Auf den einfachsten Ausdruck gebracht, bedeutet *kam* Dorf: *κωμη* und die Wirthschaft der langhaarigen (*comati*) Bauern (*comites*). Welcherlei Zustände und Standesverhältnisse die „Dorfschaft" enthält, dafür legen die mit *kam* anlautenden finnischen Wörter ein ganz unabweisbares Zeugniss ab: *kamala* seltsam (Kameel), *kamana* Fuge, *kamara* Schwiele, *kamari* Kammer, *kammio* Schlafzimmer (mit Kamin), *kammo* Abscheu (Kummer), *kammôn* von Schauder befallen werden (sich bekümmern), *kammoitan* Bekümmerniss erwecken, *kampa* Kamm, *kampela* schief, *kampi* Sichelstiel, *kampiainen* Ernteschmaus, *kamppân* kämpfen, *kamppi* Kampf, *kampura* krumm, *kamsu* Blutwurst, *kamuan* lärmen. Verwandt damit sind: *kemi* abschüssiges Ufer, *kemmin* mühsam fortschreiten, *kemppi* Kämpe, *kemu* Schmaus, *kîma* Paarung, *kima* kalte Luft, *kimiä* helltönend, *kimmôn* anprallen (*κημον* Maulkorb), *kimpi* Fassdaube, *kimppu* Kampf, *kimura* krumm, *komo* hohl, *kommet* Anstoss (Pferdekommet), *kompas* stolpernd (der Compass, der hin und her schwankt), *komehikko* Einöde, *komehdin* bezaubern, *komu* ranzig, *komppeli* hohe Schlafstelle (*compellere*: das Vieh auf den Bergverschluss treiben), *kumma* seltsam, *kummitan* spuken, *kummi* Gevatter (*γαμος*), *kummurras* zweizeilige Gerste, *kumo* umgeworfen, *kumpelet* Einfenzung in der Höhe: aus *kum* und *pellet* Humus, *pelli* Verschluss, *pelto* Acker, *kumppani* Cumpan, *kymi* Fluss, *kymmen* zehn, *kymärä* gebückt, *kämmen* innere Handfläche (Kieme), *kämmentelen* befühlen, *kämy* Bündel, *kömä* Knüttel.

Der achte Welthüter *Gaugâ* trägt seine Identität mit dem Ganges an der Stirne geschrieben und findet seine Erklärung durch die ganze Reihenfolge der CulturSprachen. Chines. *gan*, *ngan*, *gen* hat den Sinn von Ufereinfassung, Hügelreihe (finn. *kangas* Sandhügel; bekanntlich ist ein grosser Theil des Gangeslandes durch Deiche gegen Ueberschwemmungen geschützt), wovon *γα*, *γη* Hütte, Mantel, Versteck, dasselbe was goth. *ga* (mit), *gavi* (Gau), alts. *gangan*, afrs. *gân*, amnhd. *gên* = gehen, gen, gegen. Chines. *gang* enthält die Anschauung des Ausgedehnten (Gegend), zugleich den Gang des Pferdes, wohl richtiger des unter dem Namen Gay bekannten Stieres, und davon abgeleitet ein Mittleres, gleich dem zwischen zwei Ufern majestätisch dahinfliessenden und zur Rechten wie zur Linken Fruchtbarkeit spendenden Strome. Eben dahin zielen *γαγγαμη* Netz, *γαγγλιον* Nervenknoten, *γαναω* prangen wie saftige Saaten, denn vom Ganges aus werden in allen Richtungen Canäle gezogen und so weit ihre Gewässer reichen, herrschen Fülle und Schönheit des bebauten Landes (גַּן Garten = Kahn); כָּנָה bestocken, כַּנָּה Setzling, קֵן Wohnung, Kanne, קָנֶה Schilfrohr (äg. *kam*), קָנָה und קָנָה kaufen: lauter Eigenschaften Canaans, als des Jordans- und gelobten — כָּנָה — Landes, müssen schon darum verwandtschaftlich zu Ganges gezogen werden, weil *Gangi Dischhocht* der iranische Name für Jerusalem ist, indem *Dischhocht* vermuthlich dasselbe Wort ist mit תְּשׁוּקָה (sehnsüchtiges Verlangen). Was von Lotusblättern ausserhalb des weltschöpferischen Weichbildes lag, das gehörte nicht mehr in den Bereich iranischen Culturlebens, zu dem es mehr nicht als ein äusseres Anhängsel bildete.

Es hat nunmehr nicht die geringste Schwierigkeit, den Begriff der *Trimurti* zu bestimmen: dreierlei Mauern ziehen, nämlich △, ▽, □, das soll damit ausgedrückt werden, in Uebereinstimmung mit der chinesischen Trinität: Himmel, Erde, Mensch, denn der Himmel ist Siwa's, die Erde Wischnu's Gebiet, und den Werth einer vollwichtigen Persönlichkeit erlangt das menschliche Individuum erst als Freiherr, was im Reiche der Mitte gleichbedeutend ist mit der Beamtenstellung. In völliger Unabhängigkeit und mit souveräner Machtvollkommenheit steht allein 王, der König oder Kaiser da, indem er oben, unten und in der Mitte durch sich selbst gehalten und, von □ umgeben, Beherrscher eines Königreichs wird. Die drei Winkel weisen ausnahmslos auf den Dreifuss und die Gaben, die er beansprucht;

wer dagegen das Rechteck einmal betreten hat, geräth in die unbedingte Gewalt des freiherrlichen Eigenthümers, und kommt ihm keine Ratte mit ihren scharfen Zähnen zu Hilfe, so ist er unrettbar in das Pentagramma gebannt. Man sollte meinen, schon des dreitheiligen Schematismus der Culturweisen wegen hätte die dichterische Phantasie genau ebenso viele Culturzeitalter statuirt: in Uebereinstimmung mit den drei Altersstufen, den drei Ständen, wohl gar der Dreitheilung der Zeit, den drei Baustylen, den drei Hauptformen der Poesie; dem ist jedoch nicht so, vielmehr galten vier, wo nicht fünf, Weltalter von jeher als Normalzahl. Es hat etwas Unbequemes, dass von den fünf Zeitaltern Hesiod's vier nach Metallen (Gold, Silber, Erz, Eisen) benannt sind und nur das der Reihe nach vierte den allgemeinen Namen des „heroischen" führt. Das letztere darum einfach zu streichen oder illusorisch zu machen, wie Ovid thut, wäre im Widerspruch mit den Gesetzen einer gesunden Kritik, besteht aber für den Orient wenigstens insofern zu Recht, als die Indier auch nur vier Weltalter kennen*). Der Beweis, dass das Leben der Völker fünf Altersstufen bis zu seinem Erlöschen zu durchlaufen habe, ist zwar versucht, aber nicht geführt worden, philosophisch von Fichte, naturgeschichtlich von einem Amerikaner, so dass nichts Anderes übrig bleibt, als die Rechtfertigung Hesiod's mit andern Waffen zu unternehmen. Das Hauptgewicht fällt auf die *καρδιατις*, die pythagoräische Herzzahl (= *πεντας*), von der ausgemacht ist, dass sie das friedliche Leben ständischer Genossenschaft (den altgermanischen Halsfang = *saltus*) repräsentirt. Die Karyatiden, aus Karyä in Lakonien, tragen ihre Lasten, nicht eine jede für sich, sondern gemeinsam mit andern ihres Geschlechts und zum Besten des Ganzen, das sie stützen und

---

*) Roth, Ueber den Mythus von den fünf Menschengeschlechtern bei Hesiod und die indische Lehre von den vier Weltaltern. 1850.

halten. In dem Sinne ist *καρδια* gleichbedeutend mit *Minerva* und Minne: das goldene Zeitalter des *Κρονος* oder *Saturnus.* Die Früchte der Arbeit gehören nicht den *πεντε*: den fünf einzelnen Arbeitern, den Fünfen, sondern der Fünfe (*πεντας*), dies ist aber nur dann möglich, wenn ein Jeder gewissenhaft an die Mähne oder Minne abliefert, was er verdient oder erworben hat. Die Spartaner lehrten ihre Knaben, sich lieber vom gestohlenen Fuchse (*κερδαλεη, κερδω*), den sie der Minne entwendet (*κερδος* Privatvortheil)*) hatten, todt beissen, als über einem Diebstahle ertappen zu lassen; hinwiederum war es ein chronisches, d. h. dem Zeitalter des *κρ* oder Kronos anhaftendes Uebel, dass die Kretenser im Verdachte des *κρητιζειν*, die Karier im Verdachte des *καριζειν*, oder gegenseitigen Belügens und Betrügens standen, die Korinther als *κορινθιασται* (Ausschweiflinge) berüchtigt waren, genau so wie in Rom die *comitiales*, bei den Franken die *mitio*, bei den Alamannen die *minoflidis.* Sehr verständlich ist die Redensart vom „Durcheinander“ wie Mäusedreck und Koriander“ (Korinthen); aber auch die korinthische Erzmischung verräth deutlich ihren Ursprung — ein wüstes Wanzenleben (*κορις* und *κορη*; *κορος* Knabe und Ueberdruss) im „Chore“, oder Heuschreckenhaufen (*κορνωψ*), als deren Vertilger (*κορνοπιων*) der für das individuelle Grundeigenthum (*ἡρα*) kämpfende Herakles bekannt war. Da *κορος* überdies ein Mass von sechs attischen Scheffeln ausdrückt, so folgt daraus, dass die am „Chore“ Theilnehmenden die Solonische *σεισαχθεια* (Sechslastung) zu entrichten hatten. Ihre Priester waren die Korybanten, Diener der Rhea oder phrygischen Kybele (des fliessenden — *ῥειν* — Vliesses), des Aventinischen *Remus* im Gegensatz zum

*) Die Fabel von Reineke schildert die Profitmacherei (*κερδια*) eines schlauen Kopfes zum Nachtheil des Vereinslebens. Der Fuchs zieht sich in seinen Bau zurück und kümmert sich um die „Fünfe“ gerade nur so lange, als er Privatgewinn daraus zieht.

Palatinischen Romulus, und wenn finn. *kymi* Fluss bedeutet, so sind damit die Fischkiemen gemeint — ein Fischchor, der mit dem Aristophanischen Fröschechor genau dieselbe Würde oder, wenn man lieber will, Unwürde theilt. Die Kopfbedeckung der Korybanten war die *κυρβασια*, die kürbisförmige Persermütze, deren Rechte auf den Athenischen *κυρβεις* (Steinpfeilern), den römischen *tabulae* (*στηλαι*) verzeichnet waren. Daraus entsprang der Gegensatz zwischen Sunniten und Schiiten im Schoosse des Mohammedanismus: die Sunna, dasselbe Wort mit Sonne, hält sich an die rechtgläubige Salung des Eigenthums, wogegen Ali's Schiiten, zumal in Persien, an die culturgeschichtlichen Traditionen der Kybele anknüpften.

Die Erklärung des goldenen Zeitalters (*χρυση γενεα*, unter der Herrschaft des *κρονος* = *γρωνος* Grütze, Gries) ist wesentlich davon abhängig zu machen, ob eine befriedigende Ableitung von *χρυσος* und dessen Beziehung zu *aurum* sich feststellen lässt. Die Mythe bietet hiefür zunächst als Anhaltspunkte die beiden Sklavinnen der Ilias: die von Agamemnon an ihren Vater zurückgegebene *Chryseïs* und die von Achill erbeutete *Briseïs* — Namen und Ereignisse, die zu der persönlichen Stellung der beiden Helden nothwendig Bezug haben müssen. Ausser dem Namen Chryseïs enthält der griechische Sprachschatz nur noch ein Wort, das mit *χρυ* beginnt, ohne sich unmittelbar auf *χρυσος* zurückführen zu lassen: *χρυσαττικος*, künstlich bereiteter Wein, in Wahrheit attisches Goldwasser, wie wir Danziger Goldwasser haben. Der Stamm kann überall nur *χρυ* sein, gleichwie in Briseïs *βρι*; *σεϊς* hat man vom dor. *σεω* abzuleiten, das wie *θεω* gehen ausdrückt, daher Briseïs eine Person bedeutet, die in *βρι* (*πρι*, *προ*, *φρο*), Chryseïs eine solche, die in *χρυ* geht. Es ist aber nicht zu verkennen, dass *σεω* ein und dasselbe Wort ist mit *serere*, und dass, wenn *θεος* von *θεω* abgeleitet werden muss, die Uebereinstimmung mit *Ζευς* (*ζειν, cire, ζην*) nicht abgewiesen werden kann. Chryseïs zieht demnach das *χρυ*, Briseïs das *βρι* (Brei, Brot). Was insbesondere *χρυ* betrifft, so bildet es den Ausgangspunkt zu *γραικος* (*graecus*): der mit der *κρεκις* die Fäden festschlägt — Weber (von Weife = Strohseil) oder Kreter, der seine Strohstoffe aus der Gerste bereitete und sich des Strohseils zum rechtlichen Anbinden bediente. *Κροκοω* hat nicht blos den Sinn von weben, sondern speciell auch von umwickeln, und darf man annehmen, dass *κροκος* die strohgelbe Farbe ausdrücken soll, *κροσσος* eine Strohtroddel, *κροκοδειλος* ein Ungethüm (*δειλος*) in schuppigem Strohpanzer. *Γραυς*, die Graue, ist das Strohweib, zugleich die Gräuliche, wahrscheinlich davon, dass sie die Körner zu Gries zerstampft, die *grindende theowa* der Angelsachsen, wodurch zugleich ihre Verwandtschaft mit *γερανος* Kranich und Krahn = *κρανον*, *χραυσις* Hakenanker, *κρεξ* Ibis (krächzender Rabe), *κερχνη*, *κεραΐς* Krähe, Falke erklärt ist. Das wichtigste Werkzeug des Wortstammes bildet äg. *ska* (kopt. *skai*) : Schar (Pflugmesser) der Scharer, Schälke und Starken, die überall als Felddiebe verrufen waren, daher ahd. *skar* und *skah* (Diebstahl) sich nicht trennen lassen. Ausser Stande, die geschichtliche Reihenfolge der verschiedenen Getreidearten mit Bezug auf das menschliche Culturleben bis zurück zu dem Lotus und Brotbaum zu verfolgen, ist man wenigstens zu der Annahme berechtigt, dass die Anschauung des Goldgelben aus der Vergleichung mit dem Gras- und Saatgrünen sich erst entwickelte, so dass *χρυσος* seine früheste Verwandtschaft mit bewässertem (*κρηνη*, *κρενος*, grün) Wiesengrund (*καρδαμον* Kresse, *gramen*, *κορχορος*, *κριος* Kichererbse, äg. *khrut* Kraut, Saame) unmöglich verleugnen kann. Grau ist die Farbe des geschorenen (*κειρω*) Grummets (*κραστις*, *χορτος*, *χορδη*), darum ursprünglich auch des Goldes, dem man schwerlich Unrecht thut, wenn man es identisch nimmt mit Metall überhaupt. Im Gegensatz zu dem sorgsam in Garben gebundenen Getreide kann das getrocknete Gras ohne Nachtheil wie Gerümpel (γρυμεα) und Kram (γρυτη), oder „Kraut und Rüben“ (κραμα, κραμβη, κρομμυον, καρωτον Karotte) zusammengerecht und eingebracht werden. Κιρκαια ist das Hexenkraut nicht allein der Κιρκη in Kolchis, sondern auch der Γραιαι, die man sich nicht etwa blos das Grummet in Haufen (κορθυς) sammelnd und auf den knarrenden (καρκαιρω) Karren (καῤῥον) ladend, sondern zugleich darin nächtigend zu denken hat, woher ihre graue Lederhaut (χρως) rührt. Die Hauptsache ist aber doch immer der Mattenverschluss (χωρα), der als Abhang (κρημνος) und gefenzter (γεριον: Stadt Gera und Geryon) Ring (κιρκος, κρικος, wovon das Cricket-Spiel), Kreis (γρυπος, γορος, κυρτος, καρκαρα, *corona*) vorgestellt werden muss. Die Griechen scheinen zum Flechtwerk Feigenzweige (κραδη, κορακεως) genommen zu haben, von der Art, wie sie der Centaur Χειρων am Pelion besessen haben wird. Dass *cremo* zu *crates* gehört, letztere sonach, im Gegensatz zum Riemen und Strick, ein Holzgeflechte bedeutet, ersieht man an γραβιον (Fackel, eigentlich Holzbogen: βιος). Gar Mancherlei, was innerhalb des Verschlusses vor sich ging und somit dem Goldenen Zeitalter angehörte, wird abermals von der Sprache enthüllt: γρομφας Sau, γρυλλος grillendes Ferkel (κερωπη Cikade), χοιρας Drüse, χοιρειος schweinern enthalten unverkennbare Hinweise auf die Schweinezucht; κραδιας Feigenkäse, γρωνος Gries, καρφος und καρπος = Garbe, κυρηβιον Kleie, κρωπιον Sense (Gropius), ἁρπη Sichel, γυρις Weizenmehl, das „gierig“ genossen wird, κυρμι Bier verrathen ein Wirthschaftsleben hinter dem gesicherten κρας (κρααας Berggrath), der mit einem „Graben“ (γραφω, χαραδρα) eingefasst und in netzförmige (γριφος) Parzellen mit besondern Nutzungsrechten vertheilt ist. In dem Sinne sind die Griechen „Grenzer“: wer unter ihnen rechtswidrig die Grenze überschritt, der wurde vom γρυψ (Greif, Greifer, Graf) oder *κιρκος* (Thurmfalke) aufgegriffen. Es entspricht dem Sennerstande, dass die *Γραιαι* unter dem Namen *Γεραιραι* in Athen dem Bacchusdienste geweiht waren, wovon *κραιπαλη* (*crapula*), *καρωσις* Schwindel, *κραιπνος* wuthentbrannt, *κραπταλος* wahnsinnig, *κραυρα* hitzige Thierkrankheit (wohl Verhärtung von *κραυρος*), *κραζω* (unser kratzen), *κραδδω* kreischen. Der Sklave rückte zum Senner (*κερκος* Thierschwanz, Phallus) vor, wenn der Prätor (*γρυψ*) ihn mit der *καρφις* oder Quiris geschlagen hatte.

Mehr auf den kriegerischen Habitus des Saturnischen Zeitalters Bezug haben *κερας* (Ger), *γροσφος* Spiess, *κορυνη* Keule, *κορυς* Helm, *κροτων* Kernbaum (*κραναος*, *κραυρος* hart), *κραταιγος* Weissdorn, *κρανεια* Kornelkirschbaum (äg. *kerschi* Gazelle), *καρυον* Nussbaum, *κορυφαια* Stirnriemen, *χοριον* Leder, *κωρυκος* Lederbeutel, *καρβατινος* ledern, *καρβατιων* Wurfmaschine (Karbatsche), *κηρ* Muth (*cor*, bask. *kari* liebevoll) und Verhängniss, *καρος**) Todesschlaf, *χαρων* Raubthier und der Fährmann der Unterwelt, der für seine Mühwaltung den *καρκαδων* empfängt, *καρτος* Stärke. Der *γερηνιος ἱπποτα Νεστωρ*, der dem Geschlechte der Achäer voranging, zeigt uns den Saturnischen Reisigen hoch zu Rosse, und schon darum als Vorländer. Wenn die Kyrenaiker den Ostwind *καρβας* nannten, so meinten sie damit die Calabasse oder das kürbisförmige Segelschiff (*καρβασα*), das darum catal. *carabassa*, sicil. *caravazza* heisst und offenbar den Wörtern Kravatte und Kroate zu Grunde liegt. *Κραβατος* Ruhebett ist auch nur eine Art Calabasse. Die kriegerische Tüchtigkeit der „Goldenen", die von der Härte ihres Wesens sowohl als ihrer Waffen stammt, macht sie an sich schon zum Herrschen und Befehligen tauglich: sie sind

*) Sollte aus dem Umstande, dass *καρον* Kümmel bedeutet, nicht gefolgert werden dürfen, dass schon die Alten ein berauschendes Getränke aus Kümmel bereiteten?

gewöhnlich obenauf (*κρεω*), zu Herren (*κυριος, κραντηρ*, auch *κηρυξ* als Träger der *χαραξ* oder des Friedensstabes) der einzelnen Gruppen oder Vereine berufen, geborne Geronten oder Aelteste (*γερας*). Die Vereinsgenossen hat man sich durch einen Riemen auch im Frieden zusammengebunden (*κηρια*), gleichsam in Herzform (*κηρ*) oder als Kreisrund (*χερμας* Kiesel, *κηριον* Honigwabe, äg. *kerer* Backofen, *carcer*) vorzustellen: den einzelnen Verein mit seinen eigenen Krypten (*κρυπτη, κρυφος, κρωμαξ*) oder Speichern (Silos), die, wenn sie unter der Erde sich befinden, einem jeden nicht zur Genossenschaft Gehörenden von Rechtswegen unbekannt sein sollen. Als Bindemittel dient ausser dem Leder den Saturnikern Flachs (*καρπασος*) oder Hanf (*καρβασα* leinene Segel) der fränkische *reibus* oder *rebus* (Reif), womit der Graf den Verbrecher festband (*Lex Sal. c.* 32), in der *καρπαια*, oder dem Bauerntanze, der Bauer sinnbildlich den Ochsendieb zu knebeln (*carpere* kerben, *καρπος* Garbe) trachtete, aber auch beim Verlöbniss der Bräutigam die Braut an seine Person fesselte.

Das Werkzeug des *Κρονος* und seiner Leute ist die *χειρ;* der Vollstrecker seiner Befehle *Ἑρμης* in der Eigenschaft eines Boten und Grenzsteines (Herme). Ihr Vorbild hat die Saturnische Hand am *χηρ* (Igel), einmal weil er kieselförmig (*χερμας*) sich zusammenrollen, somit die Gestalt einer Vereinsfenzung annehmen kann, dann aber, weil seine Stacheln Aehnlichkeit mit den Fingern haben und sich dazu eignen, den Boden aufzureissen (*χειρας, χηρος*), wie mit dem Sterz oder der Hacke (*χειρολαβις*). Gering (*χειρων*) im Vergleich zu dem wahren Freiherrn sind Land (*χερσος*) und Stand (*χερνα*) der Handarbeiter, weshalb an *ἁρπη* (Sichel) sich unmittelbar *ἁρπαγη* anreiht und, was von Hermes stammt, als unverhoffter Gewinn (*ἑρμαιον*) angesehen wird. Sein Amt ist das eines Gildenmeisters und ihm wie seinen Leuten geht darum das Vermögen vollkommener (patricischer) Vaterschaft ab. Nur so erhält die wunderbare Wortbildung *ἑρμαφροδιτος* Sinn und Verstand: Hermes und Aphrodite können zusammen nur Zwitter zeugen, denn Aphrodite ist eine *δισση* oder *διττη* (gespalten und bebrüstet) des *ἀφρο*, eine Negation des *φρο* oder der Freyja, als der ebenbürtigen Hausfrau. Damit ist jedoch nicht gesagt, unter der Herrschaft des Kronos habe es noch keine Familienerinnerung und kein geschichtliches Bewusstsein gegeben; für ihr Vorhandensein spricht schon die ehrwürdige Gestalt des Homerischen Nestors, des Nesthegers und Neustriers, der zwar noch nicht unter Schafrecht (*non-auster*) lebt, so wenig als die neustrischen Franken später, wohl aber den Standpunkt der Gilde und des Leinfadens vertritt. Der „*χρυσυς*", der sich um seinen Verein verdient machte, lebte bereits im Gesange fort (*γηρυω*), in Italien durch den, dem Hexameter des Ennius vorangehenden, Saturnischen Vers, was allein unter Voraussetzung einer ordnungsmässigen, durch die Religion geheiligten Todtenbestattung (*κρωσσος* Graburne, *καρινη* Klageweib) möglich war, wofür gerade dem Charon sein Gnaden-Obolus (*χαρις*) entrichtet werden musste.

Aus sprachlichen Gründen allein schon kann das Zeitalter des griechischen Kronos nicht ganz und gar dasselbe gewesen sein mit dem Weltalter des italischen Saturns, von welchem Italien den Namen *Σατορνια* führte. *Aurum* (*αὐρον*) wenigstens kann die Verwandtschaft mit skr. *avi*, goth. *aus* (*ovis*) nicht verleugnen, und wie sehr auch die hergebrachte Etymologie sich dagegen sträuben mag, *Saturnus* ist nicht blos, wie allgemein angenommen wird, der Gott der Saat (*satum, sat, satis, sator* Urheber), sondern auch *urnus* gleichbedeutend mit *urna*: Grenz- und Todtenurne, von *aurum* im Grunde nur durch das Genus verschieden. Fremd allerdings ist auch dem griechischen Kronos die Schafzucht nicht: im nächsten Anschluss an *κριθαι* bedeutet *κριος* zugleich Widder und Kichererbse (*grex* Schafherde); es hat jedoch den Anschein, dass dabei *κερας* im Allgemeinen zu Grunde liegt und Hornvieh überhaupt, also Ceres und ihre Gaben gemeint sind. *Σαττω* hat zunächst den Sinn von stopfen und in Folge dessen sattmachen; dann aber verbanden auch die Griechen damit den Begriff der Aussaat, nach welcher der Jahrescyclus sich eintheilt (*σατες* heurig = *satis*), und deren Erträgnisse auf die *σατινη* geladen und im *σατον* (Sasse) durch den Satrapen vermessen werden. Nimmt man hinzu, dass *σατυριον* ein Bollengewächs ausdrückt, womit die Schafbolle sich füglich vergleichen lässt, so erblickt man den Saturn in den goldenen Obstfrüchten der *satura* und empfindet sein Wehen (*ἀω, ἀημι*) in der Ausdünstung des Pferchs (*aura*). Es ist nichts Zufälliges, dass *μηλα* sowohl Aepfel als Schafe bedeutet, denn im Obstgarten können Schafe geduldet werden, nicht aber im sorgsam gepflegten Weinberg. Wohl kann es geschehen sein, dass der italische Brauch, die Reben hoch zu ziehen, aus der Zeit der alten Satornia stammt. Die Verwandtschaft von *ovis, ops, ὀψ, ὀψον,* Obst, *ὀφις* braucht blos angedeutet zu werden. Wenn der Kaiser Augustus die Epheben von Capri zum Schmause lud, gestattete er ihnen, sich gegenseitig die Bescherung des Nachtisches, besonders die Aepfel, die auf der Ziegeninsel (*Caprea*) jetzt seltener sind als damals, abzujagen. Ob wohl neugr. *psomi* Brot aus *ὀψον* gebildet sein mag? Damit sind alle Schwierigkeiten gehoben, die dem richtigen Verständniss des Zoroasterschen *Ahuramazda* oder *Auramazda* (Ormuzd) entgegenstehen; denn die Begriffe des vielen Wissens und des Gutes und Grosses Gewährens können ganz unmöglich gleich Anfangs in seinem Namen gelegen haben, sondern müssen erst später durch Priesterweisheit hineingelegt worden sein. *Ahura* oder *aura* ist das lat. *aura*, goth. *avistr* (*αὐλη*): Pferch, und *mazda*, gleichbedeutend mit מְצוֹר, מְצוּדָה Burg, so dass ein Burgherr (etrur. *arxmal*, Castellan, Vogt) von Schäfern herauskommt, der von seinen Unterthanen die Königssteuer (מַס, Maass, Mast, Most) zu fordern hat. Im Finnischen ist *aura* das Wort für Pflug (*aratrum*, *ἀροτρον*, *ἀρσρα* = *ἀρ-ὑρος*, oder *ὀρος*, *ὀρος*, hora), und wenn äg. *auru* Bohne bedeutet, so wird man an die dem Nilthal eigenthümliche Bohnengattung zu denken haben, deren gelbe Farbe an *aurum* (mag. *arany*) erinnert und die, ähnlich dem Wickenfutter, den Schafen da, wo sie nichts zu weiden hatten, vorgeworfen wurde. Aegyptens *Horus-Arueris* lässt sich durch *Horus-Arvalis* wiedergeben: Gott der saftglänzenden (אור) Saaten (אורת), die mit den Urim des jüdischen Hohenpriesters als zehntpflichtig gemeint sind. Das parsische *au* bildeten die Griechen in *ἀω* um, den Stamm für schlafen, sättigen und schaden, deren gemeinsame Wurzel in *ἀωτον* (Wollenflaum) sich erhielt, auf dem sich ruhen, von dessen Erlös sich satt essen und die Gerichtsbusse (*sponsio*, langob. *widrigild*) bezahlen lässt. Die Babylonier dachten sich unter *u* und *hu* die auf den Höhen weidende und sicher untergebrachte Schafherde, daher ihr *Hu* dem Saturn (äg. *Seti*) und dem Saturnischen Zeitalter entspricht. Saturn's Gemahlin ist die *Ops*, zugleich Schaf- und Obstgöttin, so dass das Götterpaar die Einheit des Culturlebens in sich darstellt, das in ihren Söhnen Jupiter, Neptun, Pluto in die Trimurti auseinander ging. Darum galt *Hu* den Mesopotamiern als Gott der Sündfluth, indem er, wie Noah auf dem Ararat, seine Zuflucht vor dem wilden Nomaden- und Hordenleben auf Bergverschlüssen, dann überhaupt hinter schützenden Ringmauern fand, wovon Babylon Saturn's Thor hiess. Erst mit *Hu* fing die Menschheit an p e r s ö n l i c h zu werden, weshalb הוא das persönliche Fürwort, הָוָא persönlich sein ausdrücken. Fast sollte man meinen, äg. *kerhu* (Nacht) wäre die Kehrseite des hell glänzenden *hu*, wenigstens ist *huit*, das Femininum von *het*, woraus *hueile* (*primitiae*) gebildet wurde, unser heute, altfränk. *dio* (*dies*) = lat. *diu* (*interdiu*). Aus *au* enstand *o* (*ovis*) als secundärer Selbstlauter, wovon das Gothische ebenso wenig etwas weiss, als das Aegyptische und Parsische.

Mit *ur* beginnt die Weltgeschichte: es ist das Uranfängliche und Ursprüngliche, sein *ἀνω* die Höhe, und deren Lichtregion der *ὐϱανος*. Dass *u* Anfangs aspirirt wurde, lässt sich daran erkennen, dass in den Keilschriften das Zeichen <, das durchgehends die Aspiration, gleichsam einen gebrochenen Laut, andeutet, und zwar einmal gesetzt die schwache, zweimal die starke, als schwach aspirirtes i (*i*) geschrieben wurde. *H* erhielt vorn und hinten das Zeichen <, woraus unfehlbar der griechische Spiritus, zunächst als *asper* (ʽ), gebildet ist; im Chinesischen spricht man < als *kiuen* und versteht darunter eine Wasserrinne, deren plätscherndes Wasser wie ein starker Hauch klingt. Das ägyptisch-demotische Zeichen < soll eine leichte Berührung bedeuten; in Wahrheit hat man darunter einen Hauch zu verstehen, denn Isis wird demot. sowohl ʃꝁ (*as, is*) als <ʃꝁ (*his*) geschrieben. Der von mir anderwärts aufgestellte Satz, dass der *spiritus asper* (ʽ) ein abgestossenes *c* (*s*, aber auch *k*) andeute, findet Unterstützung durch das iber. < = lat. *c*. Demnach lässt sich genau angeben, was in den Keilschriften aspirirt werden muss: *y* (in der Mitte schwach); *k* vor *u* (schwach); *g* (schwach); *kh* (stark); *j* vor *a* und *u* am Schlusse (schwach); vor *i* in der Mitte (schwach); *th* in der Mitte (schwach); *f* am Schlusse (stark); *m* vor *i* und *u* in der Mitte (schwach); *r* vor *u* am Schlusse (stark); endich *s* mit dem horizontalen Pfeilzeichen über der starken Aspiration.

Zweck und Standpunkt des Christenthums ist Wiederherstellung des Saturnischen Zeitalters, durch Aufhebung der Standesunterschiede, und Begründung jener allgemeinen Bruderliebe, welche die ältesten Fenzungsvereine unter ihren Aeltesten bewährten, oder doch hätten bewähren sollen. *Χριστος, χρεστος, χρημα, χραω, χρεια* (Chrie, Verknüpfung) reden laut für ein uneigennütziges Leben der Gemeinschaft, dessen Idee durch die christliche Kirche verwirklicht werden soll; das heidnische Germanenthum verstand darunter die „Gilde“ (goth. *gildja; gild* Gilte) oder den „Sichelverein“ (goth. *giltha* = *ἀρπη*, dasselbe Wort mit Harfe, und *κρωτιον*), wovon goth. *gulth**) (Gold) und alle Ausdrücke, die mit Geld und Gelten (goth. *gildan*) zusammenhängen.

Beherrscht *Auramazda* das Goldene oder Saturnisch-Kronische Zeitalter, so *Ariman* das Silberne. *Ἀργυρος, ἀργυριον* (argentum) war den Griechen das Metall des *Ares* und der *Artemis,* der *ἀργοι* (Argen, רַע) und *ἀργειοι,* die mit ihrem Viehgespann auf den Acker (*ἀροτηρ*), mit ihren Lanzen zu Felde fahren — Fahrmannen, *varones*, Barone, wie Bienen in Schwärmen (mag. *raj*) und wie Ratten in Rotten (ר = 200). Zusammengesetzt wurde *ἀργυρος* aus *ἀρ* und *γυρος* (gekrümmt, *gyrus*) und entspricht der (glänzenden) Schar (Pflugmesser), die in *argentum* durch *centum*, die Bauerncent, und das *κεντρον* der Könige von Kent ersetzt wird. Die friedlichen Beschäftigungen Saturn's haben ein Ende; die „Mannen“ (Arminier) rücken als Zugbären (*ἀρκτος*), in deren Pelze sie gekleidet sind, und beritten, weil äg. *hat***) die Doppelbedeutung von Pferd und Silber hat, auf Eroberung aus, lärmend (*ἀρασσω*, רֵעַ; רָעַע) und schädigend (*ἀραω*), mit Haken (*ἀρπαγη*, mag. *ar* Ahle) und Fangstrick (*ἀρπεδονη lassó*) raubende Scharen (*ἀρθμος*), die auf Sichelwagen (*ἀρμη* und *ἀρπη*) in hellen Haufen (*ἁρμος*) mit ihren glänzenden (*ἀργηεις*) und klirrenden (*ἀραβεω*, *Ἀραβος*, Sohn des Hermes

---

*) Das Gothische der Krim hat dafür *goltz*, daher der Familienname Goltz: die Goldenen, somit Vornehmsten.

**) *Hat* hat sich in Haut und Hut (engl. *hat*) erhalten, welch letzterer in der Gestalt einer Bärenmütze den Silbernen jetzt noch zu besonderer Zierde gereicht.

und Magier, Macher, Magenmann, Magdeburger, *arabs*) Trutz- (*ἀρδις, ἀρις, ἀρβηλος* Kneif, *canif, arbalist, arbalète,* Armbrust) und Schutzwaffen (*ἀρκηριον, ἀρκος, arcus*) wie Böcke (*ἀρνειος, ἀρην, ἀρνευω*) zusammenstossen und in ihrem angebornen Eigensinne stets Nein sagen (*ἀρνεομαι*). Der „Arge“, dessen Waffen eingerostet sind, verliert die seinen Stand auszeichnende Mannhaftigkeit, wird selbst rostig (*ἀῤῥωστος*), hört auf ein laut bellender (*ἀραζω*) und fluchender (*ἀραομαι*) Hund zu sein, und vermag nicht länger mit seinem starken Arm den Besiegten Harm zuzufügen. Der Gott der Silbernen ist *Ζευς ἀραιος*: der „Fluchzieher“, dessen bunte Haufen, wie die römischen Fabier, von Hülsenfrüchten (*ἀρκιδες, fabae*) sich nähren, und zwar unter der Gestalt von Brei (*puls,* Pappe), wie er dem *populus* (mag. *bab* Bohne, *bóba* Hebamme, äg. *papa* gebären, *baba* ausfliessen = *nasci*) geziemt. *Ἀραιω* und *ἀραιωμα* machen es wahrscheinlich, dass ein Bezug zu den Geweben der *ἀραχνη* darin ausgesprochen liegt, deren regelrecht gezogene Maschen (*ἀρμονια*) sowohl mit den Maschenharnischen als den Ackerlosen der Argen sich vergleichen lassen. Ihre Gliederung (*ἀρω*) ist jedenfalls damit gemeint, zugleich der Culturzustand, wie Tacitus ihn als Eigenthümlichkeit der Germanen bezeichnet, die alljährlich mit den Ackerlosen wechselten, was einen Sinn nur dann hat, wenn die Fahrer eine Gegend verliessen, sobald sie den Boden ausgenutzt hatten. Die Goldenen sitzen fest, die Silbernen immer nur zeitwierig, und insofern führen sie eine Art Zigeunerleben, wie die Parias, wozu gute Sohlen (*ἀρβυλη, ἀρτηρ*) erforderlich sind, auch wenn nur bei gutem Wetter (*ἀργεστης*) gezogen wird. Im Zugreifen und Ansichnehmen (*ἀρυτω*) waren die Argen zu keiner Zeit lässig: Erzdiebe (*ἀρχι*) und würdige Vorgänger der Lanzknechte, die sich bereits in den dorischen Wanderungen durch Tapferkeit (*ἀρετη*) berühmt machten und berüchtigt geblieben sind durch ihr Lungern (*γαστερες ἀργαι*) und unnützes Zeug reden (*ἀργολογεω*). Dass sie nicht zu den Rechten, sondern zu den Linken gehören, zeigt *ἀριστερα*: gleichwohl ist die *arista*, die in *ἀριστον* (Frühstück) und *ἀρτος* (Weizenbrot) den Hauptbestandtheil ausmacht, das Kennzeichen der Aristokraten (*ἀριστοι*), die unter allen Umständen in ritterlicher Ausstattung auftreten, weshalb die Finnen mit *aristan* (*ἀριστευω*) die Vorstellung des befehlerischen Anfahrens oder Einschüchterns verbinden. Solche befehlshaberische Harmmacher waren die von den Lacedämoniern in den eroberten Städten eingesetzten *ἀρμοστηρες*, denen das *ἀρμοζειν* oder die Vertheilung der Einwohner in tributäre Gilden oblag. Weit schmerzlicher, als *Firdusi* den Geldverlust empfand, den er dadurch erlitt, dass der Sultan ihm für sein Schahname, statt der verheissenen 60,000 Goldstücke, eben so viele Silbermünzen zustellen liess, musste der Hohn für ihn sein, dass er, der Verherrlicher Irans, zum Danke dafür von dessen Beherrscher mit turanischem Silber belohnt wurde.

In Athen bildeten die *Argadeis* die vierte und niedrigste Phyle, gewissermassen Ureinwohner, denn in Argos wurde Herakles geboren und erlegte daselbst nicht blos die Hydra (den Drachen) durch einen Tellschuss, sondern erwürgte auch den Löwen von Nemea, das Nimmrecht der Hirten. Von den Sicilianern nahmen die Römer die Sitte an, ihre Scharknechte in gemeinsamen Arbeitshäusern (*ergastula*) unterzubringen; dass sie nicht zum *ποντος* (Kataster) gerechnet wurden, somit auch mit der Wählerbrücke (*pons*) nichts zu schaffen hatten, beweist die Festsitte, die *Argei*, die davon *depontani* hiessen, unter der Gestalt von Strohmännern am 5. Mai vom Pons Sublicius in die Tiber zu stürzen.

Die bisher kläglich ausgefallenen Versuche, goth. *silubr*, ahd. *silabar* und *silibar* (Silber) etymologisch zu bestimmen, sind eben so viele Antriebe, der Sache tiefer auf den Grund zu sehen. *Silubr* wurde gebildet aus ahd. *sil* = goth. *sail*

(Seil), und goth. *ufar* (skr. *upari*): Seilüber (Ariadne-Faden), was den Sinn hat, dass, wem das Rechtsseil um den Nacken geschlungen wurde, zu „silbern“, d. h. zu zahlen hat. So weit ab liegt bei diesem wie bei allen andern Metallnamen der Culturvölker jede, auch die entfernteste Absicht, den natürlichen Werth der Metalle zu bestimmen; erst als man angefangen hatte, für die besondern Naturwerthe allgemeine, darum künstliche und eingebildete Ausgleichungswerthe zu suchen, wurden aus den Naturmetallen Werthmetalle, wozu schon die einfache Erwägung drängt, dass ihren natürlichen Eigenschaften nach Erz und Eisen für den Menschen ohne Vergleich nützlicher waren als Gold und Silber. Dies gilt namentlich auch vom Ehernen Zeitalter, dessen Führung Poseidon-Neptun übernimmt. Der Mythus berichtet, Poseidon habe durch seine Geliebte Amymone das dürstende Argos reichlich mit Wasser versorgt; nun heisst ein Bach bei Lernä in Argolis Amymone und *ἀμυμων*, dem man den Sinn untadelhaft unterstellt, meint weiter nichts als unverschlossen, darum freigebig (aufgeknöpft), also das Gegentheil von *μυων* (verschliessend), was als Eigenschaft eines Baches für Jedermann verständlich die Befugniss verräth, sich seines Wassers nach Belieben zu bedienen. Vermittels Canalisirung bewässerten die Argen aus der Amymone ihre Felder, wozu sie der Erlaubniss Poseidon's bedurften, dessen Obhut die Wasserwege (*ποσις* Flüssigkeit) und der Schifffahrtsverkehr mit seinem besondern Güterrecht (*ποσις* Gemal) anvertraut sind. Ausser den Rechtsbezügen hat der italische Neptun mit dem griechischen Poseidon nichts weiter gemein: dem Krämer, dessen Beschäftigung nach Herodot von Libyen (*libra*) zu den Hellenen gelangte, zur Seite steht *νηπιος*, *νηπτης* oder Nipper (*niptra* Waschwasser), als Beisitzer, Besitzer, Colonus, Emphyteute. Entsprechend den *Argadeis* heisst jetzt noch bei den Chinesen die niedrigste der fünf Adelsstufen *nan*, was dem

Stande Neptun's und seiner Ehernen gleichkommt. Der Dreizack ist das Zeichen der Nachbarschaft und des Näherrechts, des Nepoten- und Neffenthums, der Libertät (des Nabels) im Unterschied von der Ingenuität (dem *inguen*), der Collectiveinheit im Gegensatz zu der Persönlichkeit. Den Sinn hat äg. *neb*, die Sphinx als Collectivum (Alle), wozu *neb* (*nebi*) in der Bedeutung von schwimmen, *neb* blasen (günstiger Fahrwind), *nefer* (*nefru*) Kaufmannsgut, *nepera* (schwimmende Aehren) käufliches Getreide trefflich passen. *Νεποδες* hiessen den Griechen Schwimmfüsse und Nepoten (finn. *nepas* Geschwisterkind); ihre *Νεφελη* (nässende Wolke) gebar die Wolkenkinder Phrixos und Helle, so dass sie sich als eine und dieselbe Gottheit mit äg. *Nephthys-Anuke* zu erkennen gibt, daher אָנֹכִי die älteste Form des hebräischen Personalpronomens ist. Auch hierbei spielt der Dreizack eine Rolle; אֲנָךְ bedeutet Angelhaken, von dem es gewiss ist, dass er den ständischen Werth der Angeln oder Ankenleute bedingt, die aus Niflheim, Nebel- und Nabelland, stammen. Auch hinsichtlich der Nephthys zeigt das Hebräische, dass „Fliessen" die Grundanschauung bildet; denn nicht genug, dass נֹפֶת die Flüssigkeit des Zuckerrohrs und von jeher einen der werthvollsten Handelsartikel bedeutet: im Neuhebräischen hat נָפַת kurzweg den Sinn von Fliessen, ein Begriff, der jedoch erst dann erschöpft ist, wenn man in dem Rohrzucker und Honigseim (*mel*) die gegohrenen Getränke der Hintersitzer (*apos* = *apes*) und Neptunisten zu würdigen weiss.

Poseidon-Neptun zahlt in Kupfer: *χαλκος* (*γλαυξ* Pfennig, eigentlich Eulenauge, wie *κληνη* Pupille, *κολλυβος* Dreier, *κολλυβον* Näscherei), das als *cuprum* (*aes Cyprium*) die Gier Cupido's und aller *cupidi* reizt, und den Standeswerth von *Κυπρις*, *Κυπρος* und der, beiden eigenthümlichen, wie zu Kriegs- so zu Todtenzwecken dienenden, *κυπαρισσος* (*cypressus*) bedingt. Schon darum kann *κυπειρις* nur eine Wasserpflanze sein, auf der die Anadyomene emportaucht. Die Spitze der Cypressenstange bestand aus veredeltem *χαλκος*, nämlich *χαλυψ*, wozu bemerkt werden muss, dass in der germanischen Sagenwelt den riesenhaften Hirten ausnahmslos kantige Stahlstangen in die Hand gegeben werden. Zur Bestimmung des Stammes *χαλ* bietet sich zunächst der Name der Chaldäer dar (*χαλ-δαιω* vertheilen): Kahl- oder Kohltheiler (*χαλκας* Kohl, *χλοη*), also Züchter von gespaltenem Klauenvieh (*χηλη, χλουνης*) und *χιλος* grünem (*χλοανος, χλωρος*) Viehfutter, sodann Magenbrei (in *χυλος* erscheint das Grüne in abgekochter, somit auch durch den Magen zubereiteter Gestalt). Die Normalzahl der Kahlen (finn. *kalpi* Stier) oder Kälberer (*calvus, καλαυροψ*), der Nabel- und Darmleute (*χολας, χολιξ, κελιξ* Ochs mit gewundenem Horn) ist Tausend (*χιλιοι*), die schildkrötförmig (*χελυς, χελωνη, χελυσμα* Verschalung, *χηλος* Schrank, *χαλινος* Zaum, *χλιδων, χολερα, χολεδρα*) zusammen wirthschaften, aber nur am Rande des rechten (goldenen) und ächten (silbernen) Grundeigenthums, gleich den geselligen Schwalben (*χελιδων*), die Jahr aus Jahr ein wandern und ihre Nester, gleichsam als Precarien, an die Wohnungen der Menschen anbauen, und gleich Eisvögeln (*χαλκυς, ἀλκυων*), von denen die Sage ging, dass sie gemeinschaftlich an dem Gestade des Meeres nisteten, somit jeden Augenblick Gefahr liefen, sammt ihren Nestern von den Wogen weggeschwemmt zu werden. Während der Brutzeit bewirken sie gutes Wetter und stilles Meer, halcyonische Tage: so darf dem Randsitzer während der schönen Jahreszeit sein Precarium nicht gekündigt werden, obschon er nur mit den Lippen (*χειλος*) sich festgesaugt hat.

Die Bezeichnung „Steinerne“ würde für Leute dieses Schlages besser passen, als der Name „Eherne“. *Λαας, λαϊνος* ist dasselbe was leinen, denn die Leinenen (*χλαινα, χλιαινω, χλιω* glühen, *λαινα* Zwillich, *χλαμυς, χηλευσις*) führten Anfangs Steinwaffen (*χαλιξ*, *calx*, *χαλαζα* der kalkähnlichen Schlossen wegen), und wenn *χλανις* ein feines Obergewand ausdrückt, so ist der Grund der, dass es aus *lana* gefertigt wurde. Die schlechte Kost (*χληδος* Kleie), die sie geniessen, macht die Leinenen schlaff (*χαλαρος*, *χαλαω*), schwerfällig (*χαλεπος*), lahm (*χωλος*): in *χαλαζω* hat *ἀζω* den Sinn von „asen" oder ätzen und in Folge dessen abmagern, hinschwinden; mit *χαλ* zusammengesetzt heisst es Finnen haben, als natürliche Folge des übermässigen Genusses von Schweinefleisch. Mit dem Mangel an gesunden Körperkräften (*χλιδη*) paart sich die Trunksucht (*χαλις*, *χαλιμας*) und die Neigung zum Spotten (*χλευαζω*) und Höhnen. Es sind die Grundzüge des Plebejerthums, die überall zu Tage treten, in sehr merklichem Abstand von dem goldenen Senatorenthum und silbernen Ritterthum, übrigens keineswegs nur in den von *χλ*, sondern gleicher Weise in allen von *γλ*, *κλ*, *ἀλ*, *ἡλ*, *ἱλ*, *ὀλ*, *ὑλ* abzuleitenden Wortbildungen. Der ständische Mittelbegriff ist das *ἁλων κοινωνειν*: die Salz- und Brotgemeinschaft (*ἁλια* Salzfass und Volksversammlung), indem *ἁλς* (*mare*) unserm „Hals" (mag. *baromállás:* Viehhals, Viehstand) und dem lateinischen *saltus* entspricht, und zwar im Sinne eines Massenverschlusses (*ἁλις*, *ἁλισκομαι*) und einer Art Helotenthums (*εἱλως*), das, weil es precär am Rande sitzt, stets auf dem Sprunge (*ἁλμα*) und in Bedrängniss oder Eile*) (*εἱλεω*, *εἱλω*) sich befindet. *Ἀλμα* ist das deutsche Halm, der nur in der Vielheit (*ἁλμαια* eingemachte Früchte) Werth und sein zweifelhaftes Recht im Hälmchenziehen (die Einschnitte — *ἑλκος* — der *festuca*) hat. Hellas ist Halsland (*ἑλιξ*) von *ἡλικοι* und *ἡλικωται*, *ἡλικες* und *ἡλοι*, deren peinlicher Gerichtsplatz in Athen *ἡλιαια* hiess. Für die freiwillige Gerichtsbarkeit, deren Schwerpunkt in der rechtsgiltigen Form der Testamente lag, wählten die

*) Heuler hat den gleichen Ursprung.

Griechen ein von den bestellten Zeugen genommenes Gericht Nieswurz: *ἐλλεβορος*, gleichwie die Italiker zu demselben Behufe der Krausemünze (*menta* *), *testamentum*), die Germanen des Meerrettigs (*chrene-cruda*) sich bedienten. In seine einfachen Bestandtheile aufgelöst, verwandelt sich der Helleborus in eine *ἐλ-λεβηρις* (Haut, Schale; *λεβης* eherner Kessel), woraus die Italiker *livor* bildeten. Jetzt noch wächst die schwarze Nieswurz am Fusse des Olymps, und nach Anticyra wird man die Dummköpfe gewiss nur darum geschickt haben, weil am Oeta sowohl als in Phokis das Erinnerungsvermögen der Zeugen durch Nieswurz geschärft wurde. Die Gemeinsamkeit und Solidarität des Chaldaismus fand ihr Symbol an dem gestreiften Chalcedon, der dem chinesischen *jü* (Jaspis, Chrysopras), dem ägyptischen *khespu* entspricht, daher das Bithynische Chalcedon so gut als Chalkis auf Euböa und deren Tochtercolonie Cumä, zu geschweigen der vielen andern in *χαλ* anlautenden Orts- und Volksnamen, ausnahmslos die Gildenwirthschaft Poseidon-Neptun's betrieben, die in den Friedensgilden (ags. *fridhgild*) Londons ihre höchste Blüthe erreichte. Dem entsprechend soll durch *Asia minor* nichts anderes ausgedrückt werden, als Asenland des Minos, der Minne und der Minatoren.

Es ist hinsichtlich der bei etymologischen Forschungen anzuwendenden Grundsätze von nicht geringem Belang, das Stammwort *κλ* in allen seinen Wandlungen zu verfolgen, und lässt sich namentlich daran ersehen, dass, wie dies gar nicht anders sein kann, die Vokale lediglich dazu dienen, den einzelnen Sprachgebilden gleichsam ihren eigenthümlichen Farbenton und individuellen Sinn zu verleihen. Der Hauptnahrungsstoff der Ehernen ist *γαλα* (*γλαγος*),

---

*) Es ist bezeichnend, wie die in *mensa* und *mensis* gelegene geometrische und arithmetische Berechnung den Römern für das eigentliche Wesen der *mens* galt.

wovon Gallien und Galatien nicht nur, sondern auch *gallus* und *gallina,* als Nutzvögel der Viehzucht, ihren Namen haben. An *γαλα* reihen sich *γλυκυς, γλευκος, καλαϊνος* (bläulich), *γαληνη* (Bleiglanz und Stille des im Melkkübel verschlossenen Getränkes), *γαλερος, γελαω, καλος, κωλον* (Kohl), *κολοσσος* (Kohlesser), *κολοκασια* (ägyptische Bohne), *κολοκυνθα* (Kürbis = Koloquinte), *κολοιτεα* (Schotengewächs), *καλαμος, γλωξ* (Achel), *καυλος, κλων, κλημα,* endlich *κολλιξ* und *κολλυρα* (Pumpernickel), deren man sich zu Siegelabdrücken (*κολλυριον*) bei amtlichen Erlassen bediente. Obschon lange nicht so reich als im Nilthale, weist die Ornithologie der griechischen Milcher oder Melker noch immer eine beträchtliche Anzahl von Vögeln auf, die theils als Vertilger von Ungeziefer, theils als Vorbilder der Mistbereitung sich wohlverdienter Ehre und Anerkennung zu erfreuen hatten. Allen voran die Eule (*γλαυξ*) der Athene, die das Sonnenlicht im Freien nicht ertragen kann (*γλαυκοω*), und wie der Küher unter Dach und Fach zu kommen sucht, obschon sie als Raubvogel hinter dem Falken nicht weiter zurücksteht, als die Nachtschwalbe hinter der Tagschwalbe, und im *podargus* (Eulenschwalbe) den „Argen“ nahe genug ist; nach ihr *καλαρις, κελεος, κηλας, κηληδονες* (= *χελιδονες*), *κολλυριον, κολοιος,* die insgesammt ihre Stärke im brennenden (*κηλεος*) Beflecken oder Schmutzen (*κηλιδοω*)*) haben. Wie es scheint, stehen *καλχη* (Purpurschnecke) und *καλχαινω* in Beziehung zu der tauchenden und schwimmenden Thätigkeit (*κολυμβος*) Poseidon's und seines Kelchrechts (*ποσις, καλχας*). Dass sie hinter Verschluss und Riegel wirthschaften, und zwar vorzugsweise mit Gefässen aller Art, gibt der Sprachschatz durch eine Menge Ausdrücke zu erkennen, die sich zwanglos auf Gestalt und Gebrauch des Bechers zurückführen lassen: *κοιλον* (*collum*) und *κυλλον* bilden den Aus-

*) Der Franzose sagt: *ma chemise brûle.*

gangspunkt für *κολη* (Kehle), *κυλιξ*, *κυλα*, *καλυξ*, *κελεβη* (*caelebs* als Eigenbrötler), *γλοτος* (zur Aufbewahrung des *gluten*), *κλιβαινος* (Klipperschiff), *γλαφυ*, *γυαλον*, *γυλιος*, *καλαθος*, *κελυφος*, *κλανιον*, *κλοιος*, *κλωβος* (Club, Kloben), *κοιλια*, *καλινδρος*, *κολπος*, *καλπη*, *κολεος*, *καλαθος*, *κολλαβος*, *κολλοψ*, *κλοστρον*. Auch dabei ist die Schildkröte: *κλεμμυς* sinnbildlich, weil sie eingeklemmt — als Klemm — und eingeklammert lebt, wie der Unterthan Neptun's in seiner Hütte (*καλια*) und auf seinem Ackerlose (*κληρος*, *κληριον*, *sors*, goth. *hlauts*). Vom höchsten Belang für den Ansässigen sind *κλαξ*, *κλεις*, *κλειδιον* (zunächst Schlüsselbein, jedoch in dem allgemeinen Sinne von „Glied", „Gliedmassen"), im Lateinischen *clava*, *clavis* und *clavus*, weil sie zum Verschliessen, Zusammenschliessen und Aufschliessen der Gliederung und des Gliedbaues dienen. Im bürgerlichen Leben bestand die Bekleidung des „Kohl" und „Kahle" aus *καλικιοι* (*caligae*, *calicots*), dem *calceus* (finn. *kallokas* = Kalauer Stiefel), *κιλικιον* (aus Cilicien stammendes Cilicium), *καλασιρις* (Zwilchhemd), *κολοβη* (ärmelloser Unterrock).

Die Hauptwaffe der Neptunisten war von jeher die Keule (*clava*), *κλης* im Namen des tüchtigsten aller Keulenschwinger, des Herakles, sodann aller, die zu den *Comitia Calata* gehörten. Aus der Keule ging der Spiess (*clavus*, *ἡλος*) hervor: *κληϑρα* (Erle = Kletterstange), *γλινος* (Rüster), *καλον* (Trockenholz, Stelze = *κλαπαι*), *κωλον* (Colum, Extremität), *καλλαι* (Bart, Kamm, Sporn und Schwanzfedern des Hahns), *κηλον* (Kiel), *κηλων* (Brunnenschwengel), *κιλλιβας* (Maleresel), *κωλεα* (Hüftknochen), *ὁλμος* (Walze, Ulme), deren Aehnlichkeit mit dem männlichen Gliede in *κιλλος*, *κιλιξ* sich bemerklich macht. Die Spitze kehrt sich in *γλωχις*, *γλαρις*, *κολαπτηρ*, *γλωσσα*, die Krümmung und Kerbung in *κλαστηριον*, *κλυστηρ*, *γλυφις* (Glufe), *ἑλκος* heraus: es wird gestochen und gehauen in *κλαδος*, *κλαδιον* (*gladius*), *κλαδευω* (absäbeln), *κολαζω* (abhauen), *κολοω* (beschneiden), *ὑλιζω* (abholzen), *κολεοις*, *κολος*, *κλαμβος* und *κολοβος*. Unter den Schutzwaffen behauptet den ersten Rang die mit Marderfell (*γαλεη*) überzogene *galea*, zu der vorzugsweise gefleckte und gestreifte Felle, wie die Hyänenhaut (*γλανος* = *glans*, Glanz), des Schmuckes (*γληνη*, *γληνος*) halber verwendet wurden. Habe ich, wie es meine feste Ueberzeugung ist, richtig gesehen, als ich goth. *hlauts* und *lauths* mit „laut“ und „ludern“ (*ἱλαρος*, *hilaris*) in Verbindung brachte*), so wird man es ganz in der Ordnung finden, dass die Ehernen des Alterthums, denen genau unsere „Leute“ entsprechen, gerade auch kein Stillleben zu führen gewohnt waren, obschon *ἱλαος* (versöhnt) von *ἡλος*: dem Zusammengenagelt- und Vereintsein (*ὁλον*) hergeleitet werden muss. *Κλονεω*, *κολφαω*, *κολοσυρτος*, *κελαδεω*, *κελαρυζω*, *κλωζω* (glucksen), selbst *κλυζω*, *κλαζω*, *κλαγγη* (Klang), *κλαδασσω*, *κλυσμα*, *κλυδων*, verrathen ein anständig lautes Getümmel, und zwar von Seiten Solcher, denen die Unsicherheit ihrer gesellschaftlichen Lage für ihr Stehlen (*κλεπτω*, *κλεμμα*) im Frieden und für ihr Rauben (*κλαδευω*, *ἑλωρ*) im Kriege zu einiger Entschuldigung diente. *Κλεπτειν* bedeutet jetzt noch bei den griechischen Klephten „in die Klemme bringen“, zwischenklemmen, stehlen soviel als hehlen, daher *κλεψυδρα* (Wasseruhr) den Sinn einer eingeklemmten Wasserschlange hat, die sich durchzustehlen sucht. Lehnen (*κλινω*, *κλιμα*, *κλιμαξ*, *κλισια*, *ἐκκλησια* = *ἐξκλησια*, Versammlungsort der Sechser) und Kleben (*γλινη* Kleber, Kleiber, *κολλα*, *γλισχος* glitschig, *γλοιος***), *γλοιας* zudringlich), precär und emphyteutisch sitzen, das sind recht eigentlich die Standesmerkmale der Kahlen und

*) Erbacker II, 132.

**) Dieses klebrige Oel ist man vielleicht berechtigt mit dem Vogelfett (von Gänsen und Kapaunen) in Verbindung zu bringen, gemäss der Schilderungen, die Humboldt von dem Sammeln des Taubenfettes in Carolina und der „Fetternte“ in der *Cueva del Guacharo* entwirft. Es war die „Schmiere“ beim Ringkampf.

Kalliase (Hausaffen, Diener), die als hörig (*κλυων*) es wohl zu einer ächten, aber zu keiner rechten Vaterschaft bringen. Man ist berechtigt, sowohl die Selbstentmannung der *γαλλοι* (Kapaune, Priester der Kybele), als die Benennungen *κελωρ* (*celer*, Keller) und *γαλοως* (Schwägerin) mit dem Umstande in Verbindung zu bringen, dass sie zum verwandtschaftlichen Knie (*κωληψ*, *genu*) gehören und nach cognatischem Rechte erben. Eine grössere Anzahl so gestellter Leute macht einen (kelt.) *clan* aus, der einen *glen* (Thalgrund) zusammenbewohnt und unter einem Häuptlinge steht, der auch in der böhmischen Sagengeschichte unter dem Namen *Klen* den Standpunkt dieses Gemeinschaftslebens in nicht zu misdeutenden Zügen kennzeichnet.

Für diese wie für alle übrigen Rechtsbezüge gibt *κολυθρος*, die feigenähnliche (*κολυθρον*) Hode, den Ausschlag, denn auf ihr beruhen die Vorstellungen von *testa* und *testis* (*testiculus*), das zur Zeugenschaft (*testimonium*) erforderliche Zerbrechen der Geschirre auf dem *mons testaceus* (*κλωμα* = *κνυξ*). *Κλαζω*, *κλαδασσω*, *κλαδαρος* (Kladderadatsch, klatschig) werden vorzugsweise von den zerbrechlichen Thongefässen (*κλιβανος*) ausgesagt, die einen integrirenden Bestandtheil des Obligationenrechts Derer ausmachten, die zu den *Comitia Calata* (altfränk. *Leodecal*, altsächs. *Rücht*, *Gerufte* = *Ruggericht*) gehörten. Daher der Ausdruck *καλαμινθη* (Krausemünze der Calaten), dasselbe was *γληχων* (Polei, *mentha pulegium*, Hühnermünze der „Boleys“, „Gleichen“ und „Kleine“) und *γαλιον* (Labkraut von *λειπειν*: Leib, Laib), die von den Zeugen bei Testamentseinsetzungen genossen wurden, wie eine Schüssel Meerrettig von den Germanen. *Καλεω*, *κελλω*, *κελομαι*, *κελευω*, die im Namen der Kelten erhalten sind, hat man von der gerichtlichen Vorladung und dem Ziehen vor Gericht zu verstehen; der Beamte, der von Obrigkeitswegen die Ladung bestellte, hiess *κλητηρ* (Klitterer), dieselbe Person mit dem fränkischen Sacebaron, dem burgundischen Wetteschalk und dem angelsächsischen Ringladmann. Klio (*κλειω*) drückt eine Geschichtsklittererin aus, deren Lobpreisungen (*κλειω*) und Klärungen (*claritas*) später zwar in ihre Rollen verzeichnet wurden, ursprünglich aber im Zubodenwerfen von Gefässen laut wurden. Auf dem Wege kam das *κλαριον* (Clarirung, Schuldverschreibung) zu Stande, daher die Kretenser solche Schuldner *κλαρωται* nannten, die, weil sie ihren Verbindlichkeiten nicht nachkamen, auf der Gerichtsstatt förmlich und feierlich zu Schuldknechten der Gläubiger erklärt wurden, und zwar durch den *κληδουχος* oder Schlüsselhalter, der in der Regel ein Priester war und den Schlüsselspruch zu thun (*κληδονιζω, κληδων*), nach germanischem Recht das Weisthum zu weisen hatte.

Der von den *κλωδες* (Klöden) gesponnene (*κλωστηρ, κλωσις*, Close) leinene Faden (*καλως*), dessen Verwandtschaft mit *κολχικον* (Zeitlose, Lilie, Lein) und der obst- und weinreichen Kolchis, dem Ziele der Argonauten, bekannt ist, diente als das gesetzliche Bindemittel (*κηλεω* den Nacken beugen, zähmen, aber auch betrügen, *ὁλκος* das Ziehen) zur Schliessung von Verträgen, über deren gewissenhafte Erfüllung die Spruchartemis (*κολαινις*: *αἰνος* Spruch) wachte, von den Lakedämoniern als ihre Schutzgöttin anerkannt, da sie ihr zu Ehren die *καλαβιδια* feierten. Aus allem Bisherigen folgt, dass das eherne Zeitalter das Zeitalter der Colonen und Colonisten war, folglich der Einwanderer, wodurch die dorischen Wanderungen erst verständlich werden. Eines der Hauptfeste Attika's wurde der Demeter (*Dea mater*) zu Ehren auf dem mit einem Aphroditentempel geschmückten Vorgebirge *Κωλιας* gefeiert, zuverlässig den Kohls zu Liebe. Der Beiname *Ἰουλω* und *Οὐλω*, enthalten im deutschen *Jul* und dem Erntemonat *Julius*, kennzeichnet die Demeter als Beschützerin der Gerstengarben (*οὐλος*). Gleichwie eine Menge Ortschaften, die von *χαλκεοι* bewohnt wurden, mit *cal* beginnen und ausnahmslos auf Höhen liegen, was für die Abhaltung der *Comitia calata* schlechterdings erforderlich war, so hatten auch die Attiker ihre *κολωναι*: erhöhte Gerichts- und Zehntplätze, ohne welche Colonen und Colonien gar nicht denkbar waren. ***Κολωνος*** nannte sich der bekannte attische Demos, wie Cöln seinen Namen von *colonia* führt, verräth auch durch den einheimischen Poseidonscult und das Grab des Oedipus das Standesrecht seiner Insassen: *δημος* = *fimus*, wovon das Vehmgericht als Fortsetzung der *Comitia calata* (*leodecal*). Bei den Italikern standen die *Latini coloniarii*, im Besitz des *jus.commercii* und *testamentifactionis*, um eine Stufe höher als die *Latini juniani* oder Hirtenlaten, die jene beiden Rechte nicht genossen. Es waren die *Juniani* oder Juniusleute unstreitig eine und dieselbe Classe mit den *peregrini dediticii*, die im Gegensatz zu den *socii* die rechtliche Stellung von Herdenbesitzern einnahmen und schon sprachlich an *Titus Tatius* und die *Tities* erinnern. Die *capitis deminutio maxima* unterschied sich von der *media* und *minima* der *coloniarii* und *Juniani* = *Dediticii* dadurch, dass sie den davon Betroffenen zum Knechte erniedrigte. Cöln, Berlin und Meissen gegenüber, wie Sachsenhausen jenseits Frankfurt, kann gar nichts sein als eine Vorstadt von Colonen oder Pfahlbürgern: die Cölner am Spree-Ufer hatten bis ins 14. Jahrhundert hinein die kleine Hufe, und der ihrer Vorstadt eigene Name *Koone* (כָּהַן, כוּן richten, dienen), ihr Fischereigewerbe und ihre Peterskirche verrathen auf den ersten Blick Leute, die nach „nassem" oder Colonenrecht leben. Berlin dagegen ist die Freistadt (*ber* = *par*, *pro:* Breslau, Braunschweig, Prag, Paris) der Pro- und Brotherren, auf deren Feldmark 120 Hufen kommen und die zum „*Kroegel*", zur Quiris und Cura der Quiriten, gehören, daher mag. *kuria*, adeliger Freisitz.

Wie „*Aes*" und „Erz" sich zu *χαλκος* verhalten, das ersieht man am deutlichsten an goth. *aiz* (Erz), das seine

Zusammengehörigkeit mit *ahs* (Aehre, Spelz), *asans* (Ernte) und *ahana* (was nahe bei *ahs* liegt, es umgiebt: Spreu) unmöglich verleugnen kann. Ist *ahs* das Stammwort für „*es*" (עֵץ Balken; *ahs* selbst ist neutral: das Aas, finn. *asia* etwas) als allgemeine Werthbestimmung, goth. *itan* (*at, etun,* äsen, essen), *aiths* Eidgabe, *aithei,* finn. *äiti* (Mutter, Insel Hayti), scyth. *adda* und *at,* niniv. *abu* (אָב, *aba* haufenweise), türk. *atya* (Vater), assyr. *at* (Zeichen des Testikels), *atta* (du), *atu* (mein), mag. *az* jener, *ez* dieser, so kann man nicht umhin, *aiz* an die eiszapfenähnlichen Stacheln (finn. *ota, oas,* niederd. *ota,* engl. *oat* Haber) der Aehren und weiterhin an die Sichel und Nahrung der (ags.) Esnes anzuknüpfen, die bei Semiten und Griechen ihre Milch von der Ziege (עֵז, *αἴξ*)*) zogen, deren Hörner (עֹז Stärke) gleichfalls in *aiz* nachklingen. Die jüdischen Essener und die Essenes geheissenen Artemispriester in Ephesus waren Asen, Esnes und Eidgenossen (goth. *asneis*), ihre Schutzgottheit die *Αἰσα,* in Etrurien die *αἰσοι* und *Aesar,* ein und dasselbe Wort mit der bairischen Isar und der böhmischen Iser. Das Holz der Aeser ist die lange (scyth.-türk. *as*) Esche (*hasta* Ast, finn. *esko* eigensinnig, äg. *aser* Tamariske, mag. *asztal* Tisch), daher im Griechischen alle in *αἰσ* anlautenden Wörter etwas Unedles (Unadeliges), ein *αἰσχρον* (Geringes), zugleich Schwächliches *ἀσθενες* ausdrücken, von dem selbst Athene sich nicht ganz frei machen kann. Finn. *aisa* (Deichsel), אֲשִׁיָּה (Stütze), finn. *aita* (Zaun), *aitta* (Vorrathskammer), אֵת (Pflugschar), mag. *atzél* (Stahl), finn. *aisti* (*αἰσθησις*) sind lauter Mittelbegriffe zwischen „*ahs*" und „Esche", die in der Halmgestalt zusammentreffen, so gewiss als Asien, die skandinavischen Asen, äg. *as* (Vorfahren), *Ἀθενα, asinus* (finn. *âsi*), äg. *anta* (Göttin mit Streitaxt, Schild, Lanze = goth. *anses*) in der

---

*) *Αἰγυπτος* ist zusammengesetzt aus *αἴξ* und *ὑπτιος*: *capra religata,* das Land, wo die „Religion" des Vertragsfadens, das Nexum, im Gebrauche ist.

Sage zusammentreffen, die Asen stammen aus Osten (*as* in einer Dariusinschrift von Persepolis). Für die Standesehre der „Asen“ ist es von Wichtigkeit, dass sie aus ihrem Eschenholz Feuer zu machen und in Aeschen (Näpfen) ihr „*ahs*“ zu backen (עֻשָׂה) lernten (אִשָּׁה Flamme). Im Deutschen sind die Hasen, Hessen, Hansen (goth. *hansa* Menge, *anses*) nach *ahs* (Aeser) und *aiz* benannt, die als Standesabzeichen „*haes*“ (äg. *hes* Umhüllung, Bett), nämlich Hosen trugen, und zwar Lederhosen, deren wegen die gallischen Kelten *bracati* hiessen, während ihre norditalischen Stammgenossen in Wolle gingen.

Schon die einfache Erwägung der Lautverwandtschaft zwischen goth. *anses* und lat. *anseres*, unterstützt durch die Bemerkung, dass lat. *ansa*, der Henkel eines Geschirrs (goth. *honsa* Füllung), auf die „Aeser“ als Aussensitzer hinweist, setzt es ausser Zweifel, dass Vogelflug und Vogelschau von goth. *ahs* so wenig zu trennen sind, als von *γλαυξ*, *χελιδων*, *καλαρις*, *gallus* u. s. w. Die *oscines* (Weissagevögel) sind „Ahsvögel“ und darum die Annahme, dass *os* (Mund und Bein) dahin zu ziehen sei, ebenso unabweisbar, als dass die Oskischen Völkerschaften dem Stande der „Asen“ und „*Hassi*“ angehörten und das Augurium übten. Die moderne Naturbeschreibung befasst die gesammte Ordnung der Singvögel unter der Bezeichnung *oscines:* Mundvögel; die Alten verstanden darunter Sämereien- und Früchtefresser, Räuber aber sind sie alle, selbst die Nachtigall nicht ausgenommen. Dazu kommt die Eigenthümlichkeit, die sie mit den „Ehernen“ gemein haben, dass sie nämlich „schaarenweise“ ziehen, wohl auch nisten, obschon die Mehrzahl das gesellige Band auflöst, sobald die Heimath erreicht ist. Durch ihr friedliches Verhalten und gutes Einvernehmen haben sich ohnedies die „Asen“ zu keiner Zeit und an keinem Orte ausgezeichnet: das „Hauen“ (*ἀω*), des Rückens so gut als des Getreides, „Hassen“ (*ἀση*), „Hadern“, „Hasten“, „Haschen“

ist Hessenart, von Odin und seinen Genossen mit der geschwollenen „Ader" in der Walhalla tagtäglich geübt. Schon die alten Aegypter verstanden unter *asch* (anrufen) die gerichtliche Vorladung der Eschenleute, deren Steuerpflicht aus (äg.) *âh* (Mond) und *â* (die Hände zum Gebete erheben) mit vollkommener Sicherheit gefolgert werden darf. Die *Hathor* Aegyptens trägt nicht umsonst ihre Hörner, und dass sie sich derselben klug zu bedienen versteht, wird durch goth. *aha* (Verstand) bezeugt, der seinen Grund in dem gemeinsamen Verschluss des Asenlandes hat. Die Sprache selbst gibt es an die Hand, dass goth. *ahs* nicht vom Einzelnen für sich und seine Familie, sondern nur im Verein mit Andern (*ahtan* acht) gebaut wird, daher *ahs* Nachbar, altn. *âs jugum* und *jugerum, ans* Balken bedeuten. Im Aegyptischen drückt *as* die zehn Finger*) aus, und die Vögel, die auf den Hieroglyphen mit ausgebreiteten Flügeln dargestellt sind, stellen *anseres* (goth. *anses*) vor, die nie anders als in Herden leben. Wer „handelt", der thut es mit der „Hand" und führt darum ein unstetes Leben. Die Normalzahl der Éschenträger (äg. *aser*) und der Hansa oder Handelsgenossenchaft ist א = 1000, arm. *hazar,* mag. *ezer,* pars. *hazanra,* hind. *hezâr,* krim. *hazer.* Der Speer der Ehernen liefert das Harz, dessen Flüssigkeit neben der des Erzes sich füglich auf die veränderlichen Stimmungen und Gefühle des Herzens übertragen liess. Das Lob ihrer Tapferkeit enthalten (goth.) *hazeins* (*αἶνος*) und *hatis* (Hass). Der leitende Gedanke ist der nämliche, wenn (goth.) *thusundi,* (finn.) *tuhansi* (Tausend) von goth. *thius* (Diener) abgeleitet werden muss. Der Metallwerth der Asen und Hasser war bei den alten Aegyptern das Silber (*hat*).

Wenn nun Hesiod, höchst wahrscheinlich um der verhängnissvollen Fünfe ihr Recht widerfahren zu lassen,

*) *Brugsch*, Grammaire Démotique p. 43.

zwischen das eherne und eiserne Zeitalter das heroische einschiebt, so kann er damit nichts anderes bezweckt haben, als die Heroen überhaupt und namentlich Herakles, dieses griechische Ideal eines Helden, eines Theils im Lichte eherner Mannhaftigkeit, andern Theils als Vorkämpfer des freiherrlichen Grundeigenthums erscheinen zu lassen. Kaum wesentlich davon verschieden sind die Eisernen (goth. *eisarn:* Erzpflüger, goth. *arjan* ackern, davon abgeleitet Erzarm): *ἀροντες* und *αἰροντες*, Pflug- oder Scharknechte, die schaarenweise zusammenhausen und in Schaaren zu Felde rücken. *Σιδηρος* ist auf *σιδη* (Granatapfel), *sidus, sido* sich senken, sieden, *σιζω,* Sidonier zurückzuführen, die eigentliche Wurzel aber ziehen, und dieser liegt die Anschauung des Flüssigen und darum Wechselnden zu Grunde. Aus dem Granatapfel wurde der erste Most (*σικερα* Cider) bereitet, dem die Eisernen von jeher tüchtig zusprachen; ihr anderes Standesgewächs war die *σικυα* (Phebe Kürbis), wovon Menschen und Thiere sich nährten, vornämlich die Sikyonier (Kürbisjonier), die, wie der Sklavenname *Σικων* beweist, auf der niedrigsten Stufe der gesellschaftlichen Ordnung standen. Sichelvereine liegen im Namen Sicilien ausgedrückt, wozu bemerkt werden muss, dass die Sichel zum Abschneiden des Grünen und nicht des Getreides diente. Was aber das Ausschlag gebende Merkmal der Eisernen anbelangt, so hat man es in ihrer unsteten Lebensweise, in dem Mangel an Ansässigkeit, mag sie in Eigenthumsrecht oder in Besitzrecht bestehen, zu suchen, denn lat. *sido* hat den Sinn von sich niederlassen oder setzen wie eine Kitte Zugvögel, die gerade so lange sitzen bleiben, als sie das vorfinden, was sie brauchen und je nachdem es die Jahreszeit (*sidus*) mit sich bringt. Es ist das, was wir Neueren „fluctuirende" (ab- und zuströmende) Bevölkerung nennen. In seine einfachen Bestandtheile zerlegt, ist *σιδηρος* zu lesen als *σι-δηρος*: *δηρις* Kampf, *dirus*, engl. *dear* feindlich an einander gerathend, *δηρος* dauernd und darum „theuer“. Vorausgesetzt wird dabei *θηρ* und *θηρα*, insofern das Jagen im Wald und auf dem Wasser Niemand verwehrt werden kann; *τερεω* meint das Treffen oder Durchbohren (ital. *tirare,* franz. *tirer*) des Wildes mit dem Pfeile, weshalb man unter *tiro* einen Bogenschützen zu verstehen hat. Darauf hin bezog man *τερην* (*terere*) auf die klein geriebene, behackte oder bepflügte Erde (*terra*), und leistete das Eisen vorzugsweise diesen hochwichtigen Dienst. Das Anbohren (*τερεω*) galt aber noch einem andern Zwecke, nämlich dem Ablassen des Saftes aus den Bäumen, um von der Tanne Terpenthin (*τερεβινθος*), von den Birken (*σημυδα*) Bier (*πινον, βρυτον*) zu gewinnen (finn. *pinta* Baumrinde, woraus man die Pinte anfertigte). In *τερεβινθος* muss *βινθος* mit *πινω* und *πινος* (Fett) zusammenhängen, und da *σησαμον* Sesam, *σηπος* Fäulniss bedeuten, so hat man die in *ση* enthaltene Flüssigkeit von öligen Stoffen zu deuten, die wahrscheinlich mit eisernen Instrumenten zerquetscht (*terere*) und gepresst (*σηθω*) wurden. Ueberhaupt scheinen die Menschen sich des Siebs erst später zur Reinigung des Getreides bedient, in der Frühzeit dagegen flüssige Nahrstoffe durchgelassen zu haben. Die weitverzweigte Sage vom Tellschuss gehört in das eiserne Zeitalter.

Dazu stimmt *ferrum* in *ferentarius* (Wurfschütz), *fera, ferio, ferox, fervor,* nebst *fero* und *far,* aber auch *baro* und *barbarus,* der das „Fahren“ und Landstreichen gewohnheitsmässig betreibt. *Puer* (Knappe) ist unser „Bauer“ (*bûr*); dass aber *f* anstandslos mit *b* vertauscht werden konnte, wird ersichtlich am Magyarischen, das *faba* durch *bab* (Pappe = Bohnenbrei) wiedergiebt und mit *bar* den Begriff von *ferrum* (Barre), aber auch von gemeinschaftlichem Ausfahren und Verweilen verbindet. So in *barona* Egge, *barom* Vieh, *borjú* Kalb, *bárány* Lamm, *barát* Freund und Mönch, *barlang* Höhle. Merkwürdiger Weise stammt das ungarische Wort für Wein: *bor* (Bohren) offenbar aus einem Bierlande, und wenn bei den Friesen die Geldbrüchten von den Knechten auf dem Boden der Biertonne bezahlt wurden, der Sachsenspiegel eine Standeskategorie von Biergelten aufführt, so bestätigt dies die Annahme, dass mag. *bér* (Lohn) eigentlich Bier, *birság* Bier-*saka* = Busse, *biró* (Richter) Einen, der zur Bierbusse oder zum Tonnengeld verurtheilt, ausdrücken soll, womit *birás* (Besitzung) und *birodalom* Reich sich sehr wohl vereinigen lassen. Mag. *búza* (Getreide) wird engl. *barley* entsprechen. Da *βρυτον* unmöglich von *brutum* getrennt werden darf, so müssen die Biertrinker schon bei Griechen und Italikern für dumm und brutal gegolten haben. Urbarialbesitz ist jederzeit zinspflichtig oder Meiereibesitz, denn die Urbarmachung erfolgte auf fremdem Boden mit Erlaubniss des Grundeigenthümers. Vom etrurischen Porsenna wird berichtet, er habe das Eisen, das zuerst in Europa auf der Insel Sardinien, wo es offen zu Tage tritt, gewonnen wurde, nur zu Geräthschaften des Landbaues und der Industrie zu verwenden gestattet.

Was soll es nun aber heissen, dass die eiserne Weltperiode unter Pluton's Herrschaft gestellt wurde? Nimmt man als ausgemacht an, dass *Pluton* und *Plutus* modificirte Personificationen einer und derselben Grundanschauung sind, so bieten sich die Begriffe *πλυς*, *πλοιον*, *πληθος*, *pluo, plus, pluteus* von selbst dar. Ueber *Pluton-Plutus* wölbt sich ein Schirmdach (Plan), das aus Planken (*πλαγιον*), aber auch Ziegeln (*πλινθιον*), Plinthen (*πλινθις*) und Bleichkörben bestehen kann. Es gewinnt sogar den Anschein, dass zwei, scheinbar so entgegengesetzte, Vorstellungen wie *pluma* und *plumbum* mit dem *Jupiter pluvius* verwandt sind, indem *plumbum* die Schmelzbarkeit, *pluma* das Flaumleichte andeuten. Ein Zeltkarren (*plaustrum*) und ein Fahrzeug (*πλοιον*) sind beide *πλανοι* (*planus, palari, palmula*), aber in der Regel auch *pleni*, weil sie das Handelsgeschäft zu Land und zu Wasser vorstellen und vermitteln. Um aber Handel treiben zu können, müssen die Erzeugnisse des Ackers und des Stalles in Haufen und Herden erst gesammelt (*plicare*) sein, und gerade darin hat man das entscheidende Merkmal der Bauernwirthschaft zu suchen. Es ist der Erwerb der fleissigen Arbeit, im Unterschied derer, die von der Hand in den Mund leben, oder sich durch die Arbeit Anderer bereichern. Gott der Unterwelt heisst Pluton, weil die Bauern auf der *planitia* oder Niederung (*platea*, goth. *plapja*), im Blachfelde mit der *planta* (Fusssohle) hin- und herzulaufen (goth. *plinsjan*) haben, um ihre Pflanzungen (*plantas*) in Stand zu setzen und an dem der *Pales* geweihten Feste die Haufen von Stroh und Heu verbrennen zu können. Es würde zu weit abführen, alle begrifflichen Werthe von *pl* (*bl*) der Reihe nach zu bestimmen; es ist genug schon damit gesagt, dass alle Radien im Stande der *plebs* zusammentreffen.

II.

Turan.

Ein schicklicherer Uebergang zum Turanierthum liesse sich schwerlich finden, denn was von den Eisernen gesagt wurde, findet grösstentheils seine Anwendung auch auf die Söhne Tur's und des germanischen Thor's. Einen nicht zu unterschätzenden Fingerzeig geben schon Firdusi's Heldensagen, die Tur zum Herrn von Tschin (China) oder Ostland (*Siwa*) machen, dem *Selm* (*Salomo*) das westliche Rum (Rumelien, Wischnuland) zutheilen, endlich *Iredsch* auf den Thron Iran's (Brama's) erheben. Ist die vergleichende Sprachforschung in ihrȩm Rechte, Turanisch gleichbedeutend zu nehmen mit Uralisch, so werden Ethnographie und Culturgeschichte dem Beispiel zu folgen haben. In der That ist *taurus* von *ur* nicht zu unterscheiden, aber kaum weniger ausgemacht, dass *Orgali*, der Name für das asiatische Wildschaf, nicht mit dem zahmen Schafvieh verwechselt werden darf, sondern den Stieren zugezählt werden muss. Das Gleiche dürfte von iber. ΑΡΝ *ari*: Widder gelten. Auf seinen allgemeinsten und zugleich verständlichsten Ausdruck gebracht, ist der Gegensatz von Turaniern und Iraniern der des Herdenstiers und des zahmen Schafes, des Steirer- und Wollenrechts: ein Gegensatz, den der sinnige Iphigenienmythus in das reizendste Culturgewand kleidet. In Aulis stand die Agamemnonstochter unter dem Wollen- und Gerstenrecht: *αὐλος* Einfassung, *αὐλη* Hofraum, *ὀϊς*, *ὀλη* und *ὅλαι*; in Tauris leidet sie unter dem rohen Fremdenrecht der Steirer, das selbst eine hochgeborene Frau zur Menschenschlächterei erniedrigt, bis es ihr durch den Schutz Diana's gelingt, mit dem der Vehme verfallenen Bruder glücklich nach dem attischen Brauron, aus dem Lande der stierischen Wildheit in das Vaterland der Zähmung (*πραΰς*, *φραΰνω*), Brüderlichkeit (*φρατρα*) und Frauenwürde zu gelangen. Seinen sprachlichen Anfang nahm das Uralisch-Turanische vom Chinesischen *urlh* (*örl*), das lautlich in der Mitte steht zwischen *r* und *l* und sehr dem *r* gleicht, wie die Engländer es aussprechen, begrifflich aber vollständig unserm „Ohr" und „Öhr" entspricht. Gemeint ist das Henkelpaar am Topfe (finn. *korwo*) und Kopfe, sodann übertragen auf einen Thorverschluss und den Personenstand der Hörigkeit. Es ist darum ganz in der Ordnung, wenn die Chinesen dem durch zwei Parallelstriche (=) bezeichneten *urlh* den Sinn von Zwei unterlegen. In der archaischen Schreibweise des Assyrischen ist das Bildzeichen dafür ≻+, ähnlich der ägyptischen Hieroglyphe Υ (dem. ≻— Fortbewegung, Marsch), die den Sylbenwerth *ma* hat und in *manus* (*mak* herrschen, *mactare; matu* Krieger; *meschr* Ohr)*) enthalten ist. Auf dem in Tarragona gefundenen sogen. Aegyptischen Grabe kommt das Zeichen in der Gestalt von —≺ vor**).

*) *Meschr* ist zusammengesetzt aus מ (= מֵים Wasser, chines. *mau*, Flüssigkeit der Brust) und שׁוּר (Mauer): Wassermauer, Grenze, unser „Masche", und liegt dem hebräischen Namen Aegyptens: מִצְרַיִם (*miseria*), מֵצַר Bedrängniss, מִזְעָר Kleinigkeit zu Grunde, da מָצַר einschliessen, מָסֹרֶת Fessel, מָזַר mischen, מִזְרֶה Wurfschaufel bedeuten. Die Wiege dieses Culturlebens lag in der Vorstellung der Juden östlich: מִזְרָח.

**) A. v. Humboldt war, so viel mir bekannt, der einzige wenigstens unter den Berliner Gelehrten, der die i. J. 1850 in Tarragona entdeckten und von Buenaventura Hernandez erworbenen und beschriebenen Marmorfragmente für keine Fälschung hielt. Wer Spanien und den Verfasser kennt, vermag unmöglich an eine Fälschung zu glauben, für die es an allen Erfordernissen fehlt. Es gibt Dinge, welche die roheste Phantasie ebenso wenig als die gebildetste zu erfinden im Stande ist.

Es wurden auf Grund von chines. *urlh* eiue Menge Wörter gebildet, die s. z. s. einen Grenzgegenstand, eine Extremität ausdrücken sollten, zunächst die dem Ohre so nahe liegende und als Sinnenwerkzeug verwandte Nase: scyth. *ar*, mag. *orr* (*ör* Wächter, Öhrn, *pomoerium*), finn. *korwa* (Korb, kerben, *cervus*), *korwas* Grenzort; sodann *ὀρχις* Hode, *ὀρα* Schwanz (Urian, mag. *órids* Riese), *ὀρρος* oder *ὀρος* Steiss, mag. *ortza* Wange (Ortschaft), von denen der Uebergang zu *ὁρος*, *hora*, חור, finn. *hura* (Landzunge) sich unschwer vermitteln lässt, indem selbst finn. *hurma* (Denkvermögen) an die Ohrfeigen erinnert, womit bei Grenzbereinigungen die deutsche Jugend bis in die Neuzeit herab bedacht wurde. Auch *orcus* ist weiter nichts, als eine masculinisirte *orca* (Tonne), der darin liegende Grenzbegriff ebenso unzweideutig, als dass Orpheus das uralische, Herakles das iranische Culturleben vertritt.

Der Turanier ist Grenzer, sein Stier der Ur (*ur* assyr. Kalb) oder Auerochs (*bos urus*), bewacht von assyr *ur* Hirtenhund (= *taś*, *lik*, *liś*, *ran*) und vor andern Ochsen kenntlich durch Mähne, Bart, Buckel, weit auseinander stehende Hörner und Bisamgeruch. Vor Zeiten weit verbreitet und der aus seiner Haut bereiteten Gürtel wegen von den Frauen hochgeschätzt, hat er immer mehr Boden an das gemeine Hausrind verloren, das sich schon im Alterthum über die ganze Welt verbreitet findet, und ist auf unserm Erdtheil nur noch in Masovien anzutreffen, wo er sowohl wild als gezähmt durch seine schwarze Farbe und einen über den Rücken laufenden weissen Streifen sich auszeichnet. Letzterem Umstande wird man es zuzuschreiben haben, dass im Hebräischen אורח Gräser, Kräuter, אור Lichtfarbe, אֻרים Lichtgebiet bedeuten, im Hinblick auf den glänzenden Rücken des Grasfressers. Bisher waren die Thierkundigen der Ansicht, Auerochs und Wisent machen eine und dieselbe Sippe aus, und jene Wisents, die im litthauischen Walde von Bialowicza als die grössten Säugethiere Europa's gehegt werden, seien die ächten Auer. Allein schon Plinius unterscheidet den *bonassus* vom *urus*, jenem eine reiche Mähne, diesem ein grosses Gehörn vindicirend, und fand Cäsar den Ur noch sehr häufig in Deutschland. Dass der Bison, der früher in ganz Mitteleuropa, im 14. Jahrhundert noch in Pommern vorkam, und wovon das letzte Stück i. J. 1755 durch einen Wilddieb erlegt wurde, dem Wisent entspricht, lässt sich schon aus sprachlichen Gründen nicht bezweifeln; dagegen ist es nichts weniger als ausgemacht, dass der *βovασος* (*bonassus*) des Aristoteles ohne alles Weitere mit dem *βισων* verwechselt werden darf. Sehe ich recht, so wurde *βισων* aus *βιος*, das den Sinn von Bogen und Leben hat, gebildet, so dass man unter Bison den durch Pfeile erlegten Wildochsen mit breiter Stirn und kleinen, aufwärts gekrümmten Hörnern zu verstehen hat; *βovασος* dagegen verräth einen gezähmten, durch einen Nasenring festgehaltenen Stier, gleichviel ob man *βυς-vασος* lieber von *nasus* oder von *vησος* versteht, da *vασος* die dorische Form von *vησος* ist. Zwischen dem Wisent, von dessen höckerigem Widerrist der Rücken gegen das Kreuz zu stark abfällt, und dem gemeinen Rind besteht ein unüberwindlicher Widerwille, was namentlich auch von dem amerikanischen Bison gilt, der allen Versuchen, ihn in ein Hausthier umzuwandeln, bisher hartnäckig widerstand. Seiner unaustreibbaren Wildheit wegen trifft den Bison jetzt noch das Loos, den Pfeilen der Wilden zu erliegen, und er wird früher oder später, aber ganz unfehlbar, einmal aussterben, weil er es verschmäht, sich den Zwecken der menschlichen Gesittung dienstbar zu machen.

Gerade das Umgekehrte gilt vom Auer: er ist der Stammvater des Zugstiers (*taurus*), wie denn bereits Mathias v. Michow aus Litthauen berichtet, es gebe daselbst Ure und Wildochsen, welche die Einwohner Thuri und Jumbrones nennen. Den Typus des Auers finde ich in dem riesigen Arni (*bubalus arni*, *ἀρηv*, *ἀρης*), von dem die zahmen Büffel abstammen, und der jetzt noch in Indien wild angetroffen wird. Der *Alburs* der Iranier, der indische Hindukusch (= Hindu — Kuh — Schild), drückt Uren-Alb, Alpland für Ure, aus, deren zottige Haut ihr Gegenstück im Bärenpelz (*ursus*) fand. Die gemeinen Büffel (*bubalus vulgaris: bubalus* = fahler Ochs), die man ebendaselbst hin und wieder wild antrifft, sind zuverlässig Nachkommen von zahmen Büffeln, ein Rückfall, der in Asien keineswegs zu den Seltenheiten gehört; und hat man in der Zähmung des Arni die dem Turanierthum eigenthümliche Culturthätigkeit zu erblicken. Aus eben dem Grunde ist der Turanier Bewohner der Steppen und Sumpfniederung (finn. *orko*), und seine Unreinlichkeit so berüchtigt, als die seines Lieblingsthiers. Es sind Sumpf und Höhe, die als Scheidewände zwischen Turan und Iran liegen, wenigstens in der Frühzeit lagen, und dadurch, dass die Japanesen den Büffel zum Sinnbild ihrer Nationalität auserkoren, während sie seinen erbittertsten Feind, den Tiger, als Wappenthier den Europäern zutheilen, geben sie sich als Turanier zu erkennen. Hinsichtlich des afrikanischen Büffels verdient bemerkt zu werden, dass *βεβαλις* zugleich der Name für Gazelle ist, und gewiss sind die *βεβαλια* nicht blos die ledernen Armbänder, welche die ältesten ägyptischen Gottheiten zieren, sondern auch dieselben Gürtel aus Auerhaut, welche hoch in Ehren bei den germanischen Frauen standen und als *reipus* (Rehfuss?) bei den Franken das eheliche Güterrecht bedingten. Aller Wahrscheinlichkeit nach gelangte der Büffel in Folge der Siegeszüge Alexanders des Grossen nach dem Westen, aber nicht früher als i. J. 596 der christlichen Zeitrechnung nach Italien; unmöglich wäre es nicht, dass der afrikanische Büffel, der bis zum Kap der Guten Hoffnung vordrang, seine grosse Verbreitung einer oder mehreren Wanderungen aus dem Osten verdankt. Seine Vorliebe für Sümpfe verräth seine Sprachverwandtschaft mit *βαλανειον*, seine unglaubliche

Genügsamkeit, die geradezu schwerverdauliche, dürre und geschmacklose Nahrungsstoffe den saftigen vorzieht, *βαλα-νος* (Eichel). Wohler als in den Flussdeltas fühlt der Büffel sich nirgends, am wohlsten in dem Nilschlamme, und ist er einmal gezähmt, so kommt ihm schwerlich ein anderes Hausthier an Gutmüthigkeit gleich. Ueber seinen *Dschamuhs,* dessen Herdenzahl durch kopt. *schmun* 8 bezeichnet wird, geht dem Aegypter nichts; erhoben doch die Syrer ihren חמת (zahm) zu einer Gottheit, der sie besondere Klageweiber hielten, weil der treue Büffel dem Schicksal geschlachtet (geopfert) oder als Bussgeld abgegeben zu werden, nicht entging: חֲמוּתָה Tod, Verhängniss, Themis.

Das *u* in Ur und Tur enthält einen nicht zu missdeutenden Hinweis auf das Euter (*uterus*), engl. *udder,* als untere Extremität, äg. *uta* Brustwarzen, *οὖθαρ*, assyr. *umma* (Mutter), lat. *uti* als *ususfructus*, also kein Eigenthumsgenuss. Das am Euter von unten saugende Kalb kennzeichnet vortrefflich die untergeordnete und prekäre Stellung eines Nutzniessers oder Steirers: goth. *auhsa* (Ochs), äg. *au, aua* (Kuh), deren Besitzer „ausser Haus" (*ὁδος* Schwelle, Weg = äg. *ua*). Die ägyptischen Hieroglyphen schreiben das *u* unter dem Bilde des Huhns (*un, hun* Jüngling = Hahn, *han, hanu* Begattung), das ausserhalb des Gehöftes umherläuft und seine Nahrung sucht. *Gallus* und *pullus* gehören in die Milch- und Bauernwirthschaft, deren unstetes und unsicheres Treiben der Auer und das Eier legende Huhn (kopt. *hun* abstammend, herrührend) veranschaulichen sollen, daher *Leda* und ihre Heldeneier (äg. *uteb* Gans, Schwan) auf das Aussenfeld gehören (äg. *ut* herauskommen, goth. *ut* heraus, ahd. *uohta* Sonnenaufgang, scyth.-mongol. *ut* Sonne). Der Hirte aber kann des wachsamen Hundes nicht entrathen, der aufmerksam die Herde umkreist: ass. *ur,* äg. *uhr* (Hund), unser Wort Uhr wegen der darin enthaltenen Unruhe, aber auch H u r e, die sich ruhe- und schamlos aus den Armen des Einen in die des Andern wirft. Aeg. *unesch* Wolf lässt sich vom Hunde nicht trennen. Das Wohnhaus des Turaniers ist der bewegliche Zeltkarren (äg. *urr, currus*), dessen Räder Rudern (äg. *usr*) gleichen, aber auch Augen (*uta*) und Halsbändern (*usch*). Im Assyrischen hat *uṣṣurat* die Bedeutung von Töpferwaaren, womit *ὀρα*, *ὀραιος* (der äg. Uräus, span. *aro* Reif, mag. *ur* Herr), sodann *ὀρανη* Urintopf (*uteb* ausgiessen) und *ὀρανος*: *ὀρ-άνω* = uroben stimmen. Der Henkeltopf, dessen Urin das Saatfeld befruchtete, liess sich ebenso gut als Getreidemass (mag. *orawas*) und Gewicht (span. *arroba*) gebrauchen. Die leuchtende Farbe des Urins ist sowohl in *urere* als in äg. *ut* glänzen enthalten, und zuverlässig äg. *ubsch* (hübsch weil leuchtend) davon abzuleiten. Immer aber wird nach dem Vorbild der Sonnenscheibe von den Aegyptern leuchten (*ut*) gleichbedeutend genommen mit sich bewegen. Das ist aber auch der Sinn von lat. *ut* sowohl als *aut*: hier antithetische, dort causative Bewegung oder Bestimmung. Das dem *u* (*v*) entsprechende hebräische ו (וָו: Waffe, Waffel) hat den Sinn von Haken und Hakenverschluss, auch Nagel, wodurch es sich erklärt, dass das ass. *u* gleichbedeutend ist mit *sam*: שָׁם sammt, beisammen, da, sowie mit שֵׁם Grenzzeichen. Das entsprechende *śam* ist סַם Würze, eigentlich Mist. Im Aegyptischen bedeutet *uh* füttern, finn. *uho* die Mühe, die der blöde (*ujo*) Uhu sich gibt, indem er zum Brutgeschäft Mäuse und andere Nahrungsmittel aufspeichert.

Mittels der einfachsten Gedankenverbindung wurde in *u* die Vorstellung des Beisammen- oder Vereintseins hineingelegt, und zwar h e r d e n w e i s e, wo das Individuelle in dem Generellen, der Theil im Ganzen, das Stück im Dutzend aufgeht. Aeg. *u* hat den Sinn von zusammenkommen, hinzutreten, sich versammeln, daher der ass. Partikel *u*, äg. *au* und unsrem *und* der Begriff einer Verknüpfung zu Grunde liegt, wie auch der Flexionsform *u* im ass. Zeitwort. Davon, dass das Individuelle hinter das Generelle gänzlich zurücktritt, rührt es her, dass die Griechen ὀ füglich als Verneinungspartikel gebrauchen konnten, die von den Assyrern zu *ul* erweitert wurde. Wenn im Scythischen *ul* (= *val*, Wall) Wohnung bedeutet, so ist der gemeinsame Wallverschluss gemeint, innerhalb dessen eine Anzahl Turanier, als pares oder Bauern, und Einer so viel werth als der Andere, wirthschafteten und Gerste (ὀλη) bauten, daher *ullus* einen Jemand meint, der als Gerstenbauer genau dasselbe gesellschaftliche Höhenmass hat, wie die andern Jemande neben ihm. Im Chinesischen hat *u* (*wu*) den Sinn von Fünf und gering, unbedeutend, wovon äg. *un, uon* (sein, auch ὢ) herzuleiten sein dürfte.

Zur Unterstützung der Annahme, dass *ullus* einen Uhl oder Gerstenbauer und Biertrinker meint, der auf dem Standpunkt eines Uraliers steht, dient der Umstand, dass finn. *ohra*, mag. *árpa* dasselbe Wort ist mit *hordeum* und wohl auch „Gerste“ und „Gegohrenem.“*) Die Söhne Arpad's sind Gerstenbauer (mag. *artas* Ernte, lat. *arvum*): dass sie aber auf ihren Wanderzügen statt des Auers Hengste mitbrachten, bestätigt ihr *oris* (Hengst), wozu weiterhin als hochwichtiges Zuchtthier *oras* (Eber und junge Saat) kommt. Pferdebauern waren sicheren Anzeichen nach auch die *fratres arvales* in Rom, wie denn noch das ganze Mittelalter hindurch die Verwendung des Pferdes zum Ackerbau als eine Erniedrigung des Thiers und seines Herrn angesehen wurde. Mit dem Esel verhielt es sich anders: wie aus dem *ur* ein *tur* wurde, darüber völlig ins Klare zu kommen, gehört zu den dankbarsten Untersuchungen der sprachlichen Lautwerthe. Der *t*-Laut (*d*) ist mit *u* inniger verschmolzen, als irgend ein anderer Selbstlauter mit einem Mitlauter. *Tau* (τ), als Ziffer 300, desgleichen תָו (ת), seinem Zahlen-

*) *g* entspricht *q* oder *k*, dem Kuhzeichen: finn. *korwa* = Ohr (gekerbt), selbst lat. *cor* wurde dem horchenden Ohr der folgsamen Kuh nachgebildet.

werthe nach 400 und darum Friedenszahl im Unterschied von der Sechser- oder Sachsenziffer, ist das deutsche Wort Tau (engl. *tow*): Seil, Strick, chines. *tau* Seidenfaden und oberstes Prinzip, weshalb das hieroglyphische Bild dafür eine Schlinge oder Schlange vorstellt. Im Assyrischen bedeutet *tâv* und *tuv* als Endsylbe ausnahmslos eine Umschlingung oder Verschlingung, in freundlichem oder feindlichem, friedlichem oder kriegerischem Sinn, daher *tu* das Zeichen für den Ablativ (Dativ), gleichwie *na* das Zeichen für den Accusativ. Im Magyarischen drückt *tol* und *tul* (*tollo,* Zoll) den Ablativ, *nak* oder *nek* (Nacken) den Dativ aus. Das pars. *taumâ* so gut als *θαυμα, ταυτο* u. s. w. weisen auf eine Verschlingung und auf die eigenthümlichen Bewegungen der Schlangen zurück, worin schon zu Moses' Zeiten die pharaonischen Zauberer eine überraschende Kunstfertigkeit besassen. Dass *t* ursprünglich als einfaches Kreuz (†) dargestellt wurde, bezeugt nicht allein תָו, was Kreuz bedeutet, und in *θαπτω, θανατος* enthalten ist, sondern auch der weitere und erhebliche Umstand, dass die älteste phönicisch-hebräische, sowie die koptische Schrift statt ת geradezu † setzen, das jetzt noch bei den des Schreibens Unkundigen die Stelle der Unterschrift vertritt. Das hieroglyphische † wurde *at* gesprochen, im Sinn von Kreuzung oder Mitte, das ass. zunächst *bar* (Ackerland: Bahre, בַר Sohn, fromm, בֹר Reinheit, בָרָא schaffen, Bauer, puer, purus), sodann *mas:* Zehntmass, das von den Bauern (Turaniern) aufzubringen ist und durch die „Maschen" läuft (מָסָה zerfliessen). Dass im Chinesischen † (Hausbewohnerschaft): Zehn *śi* ausgesprochen wird, ändert nichts an der Sache, denn *ts* oder *z* ist aus *t* entstanden, wie *θη* aus *τι*. Das demotische Zeichen I0 Haus ist einfach der arabische Zehner, als Normalzahl der Hausgenossen, die unter des germ. Thor's Hammer T, Γ, F (Digamma) stehen. Insofern ist der Uräus (finn. *tie* Weg) das Symbol des Turaniers, der auf der Wanderung begriffen (ass. *tur* gehen), mit seinen

Genossen an einem und demselben Seile zieht. Hebr. תָּא (Gemach) ist äg. *te* (□ Erde, *tellus*), zugleich das weibliche *te* (dich), weil die Frau vom Manne gezogen wird, und insofern sich passiv verhält; chines. *ta* (mag. *tayos* und *tagos*) drückt gross aus, (ausserdem das Pron. er, sie, es; *tă* Zugseil eines Bootes), dies aber als Haufe (pars. *tu* wachsen), indem auch franz. *tas* aus *taxare* (Taxus als Grössenmass) zusammengezogen wurde und ursprünglich die Schüttung der Zehntfrucht ausdrückte, über deren richtige Ablieferung (chines.) *ta* als fliegender Drache zu wachen hatte. „Taxen" sind aber nur da einzutreiben, wo (chines.) *te* und *tu* (Erde) in der mikrokosmischen Gestalt von 田 (*tien*) und wohl auch als ⊕ auf den Marmorfragmenten von Tarragona einen Verein von *te*-Nachbarn, somit vermessenes Gemeindeland, vorstellt, auf dem durch sorgsame Pflege die Theestaude ihre schmackhaften Blätter entfaltet. In Assyrien wurde 田 *ma-ti* ausgesprochen: Matte*), in dem doppelten Sinn eines Teppichs und einer Wiese, wofür die Scythen *tik* und *tak* sagten, eigentlich *ma(nus)-te,* unter Zehnhänder vertheilter Wiesen- und Ackergrund und gleichbedeutend mit *dag*, *tag* (mag. Glied, mhd. Thau), worunter kein fester Bodenverschluss verstanden werden darf. Um wirkliches Pflugland auszudrücken, gebrauchten die Assyrer das Zeichen 田⌡ (*ra*, Geradetes, Gerodetes).

In ein Zeitwort verwandelt hat äg. *ta* den Sinn von darreichen (*dare*), desgleichen *ti*, kopt. *tei* (*τιθημι*, *διδωμι*), und wenn *tu* zugleich reden (auch *tet* und *tut* = tuten) und beflecken bedeutet, so rührt dies daher, dass Tute, Tüte, Dute, Düte die Mutterbrust (goth. *daddjan* säugen, mag. *dajka* Amme) meint, die gemelkt ihren Inhalt ausspritzt, zugleich aber in dem Säugling das Sprachvermögen weckt und entwickelt. Dazu kommt das Spucken beim hastigen

---

*) Der Thee von Paraguay heisst *máte*.

Reden. Aeg. *ten* (dehnen, *τείνειν*), *tenh* Flügel, *teh* Schuhriemen, *ten* Woche (Zehn, Dekade, goth. *taihun*), *tun* aufstehen, (goth. *taujan*, wörtlich mit dem Tau verbinden, thunen, thun), *tes* tragen, *tet* Hand, *tehu* Stroh, *teb* Ziegel und Vater (*tego*), *tept* Brot und Kuchen, *ter* Weidenspross und durchbohren (*tero, terra*) sind lauter Erzeugnisse des Taus. Die Chinesen sagen *tai* für dehnen und dünn, *tan* für Tannennadel, den Bogen spannen, den linken Arm entblössen (goth. *tahjan* zerren), *tang* für ausgedehnt, unangebautes Land, wo Tang wächst, *tăng* für Tau und Schlinggewächse, wobei es besonders auffällt, dass die verschiedenen Bedeutungen des engl. Wortes *tang*, wie Gabelzinke, Nachgeschmack, aufstossen (chines. fettiger Geschmack, Süssliches), Klang, alle ohne Ausnahme im Sprachschatz der Chinesen sich nachweisen lassen.

Im Assyrischen hat das dem ſ ähnliche *ta*-Zeichen den Zahlenwerth von ת, so zwar, dass der Einschluss dieser Vierhundert in תָא (Gelass), תָאָה und תָעָה (umschreiten, grenzen, Bergstadt) in die Augen springt. Auch im Schriftzeichen nahe verwandt damit ist *da*: דַי Bedarf, דָיָה schwarz sein, erklärlich durch die schmutzige Farbe des Turaniers. Das einfache ד gilt 4; דָא ist da, das, דָאָה fliegen, טָא forttreiben, טָעָה umherirren; דָן Richter (etrur. *tanna*, ags. *thane*), תָנַן zutheilen (*justitia distributiva*), Recht sprechen; תַנָּה (Tannenholz) Wohnung (= ass. *ṣan*, צַן), צִנָּה Schild (Zinne und Zinn, wovon die Ortsnamen Zahna, Zinna), צָנָא zahnen, umzäunen. Bei der ohne Vergleich grösseren Wandelbarkeit der Selbstlauter als der Mitlauter hat man Mühe, den begrifflichen Werth des *a* in *ta* zu bestimmen; da jedoch in einer Menge hebräischer Zeitwörter ת und א mit einander vertauscht sind, so spricht wenigstens die Vermuthung dafür, dass „Auer“ und *taurus* demselben Gesetze anheimfallen, somit *ta* sowohl als *a* in nächster Beziehung zum Stiere stehen. In der That bedeutet א Stier (אָלֶף), der als Stier von Uri über 1000 gesetzt ist. Mit dem *a* der arischen

Keilschriften synonym ist *ruk*: רוּחַ (rücken, rauchen, wandern), ריק (rauschen, sich ergiessen), was ebensowohl von einer wandernden Viehherde, als von einem Krähenschwarme (engl. *rook*) ausgesagt werden kann. Im Aegyptischen bedeutet *ah* gleichfalls Stier (Kuh, zugleich Getreidefeld, goth. *ahs*), wovon *a* (ich) erst abgeleitet werden muss, wie auch *ab* (Kalb und Horn), *ap* (Haupt, Häuptling), *af* Bremse (die Schwärmende). Das chines. *a,* das als *ja* gesprochen werden muss, soll einen Buckeligen bedeuten: ursprünglich wird ein am Halse festgebundenes Stück Vieh damit gemeint gewesen sein. Im Finnischen dürfte *aho* (Buschwald, Ahorn) in nächster Beziehung zu א stehen; ob die Ungarn unter *állat* zuerst Hornvieh verstanden, lässt sich nicht beweisen, ist aber um so wahrscheinlicher, als Ahle und Elle durchgängig mit den Hörnern gepaart auftreten. An sich ist *a* der indifferenteste Selbstlauter, der wagerechten Linie eines Dreiecks vergleichbar, dessen aufsteigenden Schenkel *i,* den niedersteigenden *u* bilden. Sowohl im Chinesischen, als in den Keilschriften ist das älteste Zeichen für *a:* —, ein Querstrich, der bei den Assyrern Pfeil (Keil und tödten), bei den Chinesen Stachel bedeutete, und ursprünglich wirklich als *ba* (*baculum*) oder *pa* (Balken, Schwelle, עֵץ) gesprochen worden zu sein scheint, bevor die Chinesen ihren *i*-Laut, wahrscheinlich zuerst *η*, daraus machten. Zwei Querhölzer sind im Assyrischen das Zeichen für *Tigris* (*Diglat*) oder Schifffahrt, während *ḥal,* als Lautwerth des einfachen Pfeils, synonym mit עִיר ist und einen gesicherten Aufenthalt zu Lande ausdrückt: ass. *ḥalvaris* Festung, goth. *alhs* Tempelverschluss (Hals, *saltus*), innerhalb dessen die *Comitia calata* und gerichtlichen Vorladungen (*καλειν*) statt hatten. Wie die Assyrer müssen nothwendig auch die ältesten Chinesen mit dem *i*-Zeichen — die Vorstellung des Pfeils verbunden haben, da *ĭ* bei ihnen mit Pfeilen schiessen bedeutet.

Aus der Vereinigung von *a* und *u* (*au*) wurden gebildet

skr. *avi*, goth. *aus*, ahd. *awi*, *ovis*, *ἄωτον* (Flocke), *au*, *ὄϊν* (Trift); davon abgeleitet ass. *au* (auch, und). Zwar im Aegyptischen fehlt es dafür an sichern Anhaltspunkten, man greift jedoch schwerlich fehl, wenn man das äg. Doppel-*a* (*aa*, *â*) zunächst in *âh* (Mond, auch *aha*, scyth. türk. *ai*, äg. *ai* mich; sodann bask. *ao* Mund) vom Schafvlies deutet, wie *σελήνη*, und *aau* (*âu*), den Wohnort der Seelen, im Sinne von „Au“ (goth. *avethe* Schafherde, *avistr* Schafstall). Das *âu* (Ruhm, Grösse) der Hieroglyphen wird als Seil mit Horn und Krummstab vorgestellt. Auch der *âni*, der anderwärts unter dem Namen *oa* oder *wauwan* (*hylobates leuciscus*) bekannte Langarmaffe der Javanesen, dürfte einen Schafaffen anzeigen, und zwar seiner grauen Behaarung wegen, die an Vorderkopf und Brust ins Braunschwarze, an Kinn, Wangen und Augen ins Weissliche übergeht. Zunächst für Aegypten und die angrenzenden Länder muss der *âni* von des Aristoteles *Cynocephalus* (Pavian), mit seiner langen und lockern Behaarung verstanden werden, der dem Schafvieh auch darin gleicht, dass er sich vorzugsweise von Gräsern, Kraut, Pflanzenfrüchten, Zwiebeln und Knollengewächsen nährt. Den Mittelpunkt göttlicher Ehren, welche das Schaf im weitesten Sinn des Wortes genoss, bildete im alten Aegypten Ammon, dessen Cult, nebst der Verehrung von *khem* und *kneph*, sich von der Thebais aus über das ganze Nilthal verbreitete. *Amn*, in der weiblichen Form *Amnt*, stammt von אָם: Ohm oder Brust (Amme, אָמָה, iber. ⊧ᐅ⊧ *eme* weiblich, mag. *anya* Ahne, äg. *am* essen, mit) des Mutterschafs, wovon *amnis* sowohl als *omnis*, אֵם Lallen des Kindes, עָם Person, Volk, עָמָה sich verbinden, עֻמָּה u. אֻמָּה Genossenschaft, אָמַן gründen, אָמֵן wahrhaftig, treu, אָמוֹן Werkmeister, (äg. *amen* verschliessen), אָמְנָה Säule (äg. *ament* Westen), Erhaltung, אֲמָנָה Bündniss — sie alle gehören dem Ideenkreise des widderköpfigen Gottes und seines Vertragsfadens an, daher man ganz im Recht ist, das ägyptische Futurumszeichen *au* auf das feierliche Gelöbniss von Schafen (*sponsio*) zu beziehen. Mit *khem* (äg. *kia* Ziege) hat es eine ähnliche Bewandtniss: er ist der Kamm für die Wolle, wovon קָם, קוּם, קָמָה beistehen, קוֹמָה Anhöhe (Comma, Cumä, Como), קָמָה Saat, קָמוֹן Grenzsäule, קְיָם Steuersatz — ebenso viele Eigenschaften und Wirkungen des Pferchs. Eben dahin gehören äg. *ka* darreichen, *kâ* sich freuen, *kah* berühren, *kahu* Ellbogen; *κεμας* Geweih, *καμαξ* Stengel, Pfahl, *καμακιας* Halmfrucht, *καμαρα* Magen (*camera* Kammergut), *καματος* Mühsal, *καμινος* Backstein (Kamin), *καμφις* campus, *καμπη* Krümmung, *καμψα* Korb, Kapsel; כָּמַן aufbewahren, כּוּם *cumulare* (*ager decumanus* und Cumanisches Recht), חָם verschwägert, חַמּוֹן Speicher. Es ist dasselbe in אַבְרָהָם auslautende הָם, im Griechischen *ἁμα* (*αἱμα*), unser *heim* (engl. *home*), was in Ortsnamen stets bäuerliche Anwesen bezeichnet. Den Aegyptern hiess das Weib *hime*, ihr und aller Heimat Schutzgeist aber ist Hymen. Die Verbindung, in welche *khem* als *mut-khem* mit *μοιτος*, Meth und Mitengemeinschaft gesetzt wird, bezeugt das gemeinschaftliche Pferchrecht der Bauern. Von *khem* wurde Aegypten *khemi* benannt, wie Canaan von כַּנָּה Setzling, *canna*, Emphyteuse (כ, כַּף Hand = 20), כָּנַע niederknien. Endlich *kneph* ist unser „Knopf“: כָּנַף umschlingen, verhüllen, כָּנָף Flügel, Zipfel, wovon das Nexum oder Vertragsrecht stammt.

Es kann nicht davon die Rede sein, *t* durch die gesammte Leiter der angehängten Selbstlauter im Gebiete der Culturspachen zu verfolgen, um so weniger, als der unendlich mannigfaltige und verschlungene Wandlungsprozess nicht überall sichere Anhaltspunkte darbietet. Nur so viel sei bemerkt, dass in der ältesten Sprachperiode *ta* (*da*) von der Anschauung des Tannenschafts (finn. *darda*, mag. *dárda* Speer, franz. *dard*, *δαρδανοι*), *te* (*de*) von der Anschauung des deckenden und dachförmigen Tannenzweigs ausging. Wie selbst scheinbar ganz abstracte Wortbildungen sich auf sinnliche Wurzeln zurückführen lassen, ist an *tacere* ersichtlich, das am Taue ziehen, somit stillen, schweigenden Gehorsam bedeutet; ebenso an *tempus*, soviel als Deichselfuss: *temo* und κυς oder Grössenmass, *tenebrae*: τε-νεβρις übergespanntes Hirschfell, das einer Anzahl Menschen (*decem*) als Dach dient. Den Uebergang von *e* in *i* vermittelt *η* (hebr. ∵), das auch im Chinesischen nicht fehlt, da *te* ebenso richtig *ti* ausgesprochen wird, weshalb einige Europäer das *e* durch *y* wiedergeben. Das Zeichen dafür 丿 wird *piĕ* gesprochen und entspricht dem lateinischen *pes*. Werden zwei 丿 derartig mit einander verbunden, dass sie die Gestalt eines Daches annehmen, aber auch zwei in Bewegung gesetzte Beine vorstellen: 人 (*še*), so wird damit das Eintreten in einen warmen Heuschober ausgedrückt, denn diese drei Bedeutungen hat das Zeichen, das als ägyptische Hieroglyphe Λ gleichfalls „einziehen“ ausdrückt und das Determinativ-Zeichen für Oertlichkeit abgab. Ihm wurde A (grosses) nachgebildet. Die Normalzahl der Bewohner eines gemeinschaftlichen Stadels war im alten China 8: 八 (*pă*), wovon man annehmen darf, dass es mit dem griechischen *λ* (Laten-zeichen) denselben Ursprung habe. Der Himmel der Chinesen ist ein überdecktes, mit einem Dache versehenes A: Ā, der Hund ein mit dem Zeichen der Fallbewegung ausgestattetes A'. Das durch einen Querstrich festgehaltene 人 aber ist nichts Anderes als A im Sinn von individuell, auf eignen Füssen stehend. Das eigentliche *ἰωτα*, das aus *ἰος* (vergifteter Pfeil) und *τα* zusammengesetzt ist, hat den Sinn von Pfeiltau oder gewundenem Seil. Das wichtige Wort Joch (*jungere*) wurde daraus gebildet, wodurch *ἰοτης* (Geheiss, Befehl) eine ebenso natürliche Erklärung findet, als der Grund angegeben ist, warum chines. *piĕ* ein Beiname Buddha's und ein Titel kaiserlicher Personen (Hoheiten) ist. Sie halten die Andern am Seile, wie denn auch hebr. י (יוד = 10) zehn vereinigte Hände (יָד Glied, Hand, יָדַד

vereinigen) ausdrückt. Juda, Jüttland, Jutte, Jonien, Buddha u. s. w. haben Bezug zum Vereinsleben und der Bauernwirthschaft (*ager decumanus*), weshalb Buddha's Welt den Namen *te*, das genossenschaftliche Leben hinter „Zinnen“ und Wällen den Namen *ćin* führt. Das chines. *Jota,* wie sich an der Uebereinstimmung seiner Gestalt mit dem griechischen Ï deutlich erkennen lässt, ist ┃ und wird als *ji* oder *ki* gesprochen, allem Anschein nach entsprechend dem ass. ├, das *mi* und *sip*, in der Form ┤ zugleich *m* und *v* lautete, wie ich glaube, um den gleichen Werth von Hand (*manus*) und Fuss damit anzudeuten. Jedenfalls ist es das Zeichen der Sieben und Sippe, das, auf — ruhend ⊥, im Chines. *śang* lautet und oberhalb, hochgestellt ausdrückt.

Das Normalzeitwort für *τι* ist *τιθημι,* im Sinne von „eintiefen“, in die Tiefe (*θημα, θηκη*, Behältniss, Gelass) niederlegen (*θεμα* Vorgelegtes), verbergen, was Diebesbrauch ist, aber auch die Verpflichtung zum Steuern (*διδωμι*) in sich begreift. In China müssen die *ti*-Laute zu der Classe der Sikyonier gehören, wenigstens vor Zeiten gehört haben, da *tiĕ* Lotuskerne und kleine Kürbise (*σικυος, σικυον*), ausserdem aber Tatarenstämme bezeichnet, deren stehendes Merkmal der Hund und das Feuer, diese beiden treffendsten Symbole des Vereinslebens, sind. Abgesehen von den in *tiĕ* enthaltenen Nahrungsstoffen, ist es das Neben- und Durcheinander-Gelagertsein solcher Fruchtkerne, was das Wesen der Bauerngemeinde ausmacht. In Nordchina redet das Kind den Vater mit *tie* an: Zieher, Erzieher; durch *n* (nahe) verstärkt wird der *tie* zum *tien* und erlangt damit die Würde eines Zehners (*decanus*), und zwar über ein Bauernviertel, dessen Vereinsland 500 Morgen beträgt und an kopt. *tiu* (5) die Grundzahl des goth. *thius* hat. Nach westgothischem Recht kamen auf das Ackerloos der Gemeinen 50 Aripennes (franz. *arpents*), nach langobardischem 40 Jaucherte, und diese vervierfacht (4 × 40) bilden dieselbe Grosshufe, welche die nordamerikanische Union dem Einwanderer anbietet, nach der Zahl der 160 Kisten, in welche der iranische *Isfendiar* ebenso viele Bewaffnete packen liess, um sie in *Ardschasp's* Schloss einzuschmuggeln. Im chines. *tiau* ist das Schneiden, Sammeln und Tragen des Getreides enthalten, ausserdem die Trauer um die Todten, von deren Leichen, bevor die Beerdigung gebräuchlich wurde, die wilden Thiere mit Pfeilen und Steinen fern gehalten werden mussten. Chines. *thing* ist das altdeutsche *ding:* Gerichtsstatt und da zugleich eine Dekade damit ausgedrückt wird, so darf man annehmen, dass die alten Chinesen ihre Gerichtstage alle zehn Tage hielten.

Das Aegyptische kennt kein *ti,* überhaupt nur höchst selten ein *i* hinter einem anlautenden Consonanten, so z. B. in *hi* (sieben, beugen) und *hie,* eine Benennung Meroë's, auf die der *Chnuphis*, unter der Gestalt einer Schlange mit Widderkopf, zu beziehen ist. *Chnu* ist das *Gnu,* eine Gazellenart, die, im Gegensatz zu *ἔρια*, den *χνυς* und das *γναφαλον,* d. h. eine geringe Wollgattung zur Herstellung von Camelott, lieferte und im indischen Agni, in *genu, genus, gens* fortlebt. Möglich, sogar wahrscheinlich ist es, dass die alten Aegypter ihr *e* gleichfalls wie *η* aussprachen, woher es kommen mag, dass äg. *heb* (Isis und Pflüger) im Koptischen die Form von *hibui*, *hiboa* (franz. *hibou*) annahm.

Im Assyrischen ist mit *di* (דִי der, wer) ein Schwarzer (דְיָה) gemeint, dessen Steuerquote (דַי, etrur. *thas:* Taxe, lat. *dos,* unser *das*) mit Tinte (דְיוֹ) aufgezeichnet wurde. Ass. *ti* erhielt sich in תִיכוֹן: der Mittlere, eigentlich Aufrechtstehende (כוּן, כָּנַן), Eingepflanzte (קִין) und als steuerpflichtig (תֹּכֶן Quote, ital. *tocco* Griffel, Schnitt, engl. *token*) *miser* (קִין). Von den Zehntgarben (*decima*), die der Bauer von dem, was er im Schweisse seines Angesichts erarbeitet hat, abzugeben hat, ist die lat. Präposition *de* (hinweg) gebildet. Im Finnischen hat *ti* überall den Sinn von ziehen: *tie* Weg, *tiakka* Zehntknecht des Pfarrers, *tieto* Kenntniss, Erziehung (רֵעַ, רְעָה), *tieno* Umgegend, *tiili* Ziegel (franz. *tuile*), *tiima* Stunde, *timppi* Haarbinde (um die *tempora* Schläfen), *tinkan* dingen, bedingen (altfränk. *tangano*), *tintti* Schluck (Tinte), *tippu* Tropfen, *tissi* Mutterbrust (Tisane), *tiski* Tischgeräthe (Tisch), *tiu* Stiege und Zwanzig (Stufen), *tiuku* Klingel, *tiunti* Zehnt, *tiuskin* anschrauben. Dasselbe gilt vom Gothischen, wo *di* und *thi* stets auf *thinsan* (zinsen) zurückweisen. Aus dem lateinischen Sprachschatz genügt es, an *tibia*, *tigillum*, *tignum*, *tilia*, *timeo*, *tinea*, *tinguo*, *tinnio*, *tiro*, *titio*, *titubo*, *titulus*, sowie an *dies* (*dis*) zu erinnern, in dessen Kategorie alle *di* fallen. Am wichtigsten ist *tigris*, das pars. *tigrâ* Pfeil, weshalb die vielen Tigerflüsse, wozu Diglat (תִּגְלַת) und der chinesische *Si-kiang* gehören, Grenzwasser ausdrücken. So hat man es sich zu erklären, warum die Europäer von den Japanesen als Tiger, d. h. Handelsleute und Räuber, bezeichnet werden: sie erscheinen in ihren schwimmenden Gehäusen wie Fische (דָּג), und werden zu den geringen Leuten gezählt, denen es an einer privilegirten Adelsklasse (einem standesmässigen Seniorenthum) gebricht. Die Sage von Arion und dem Delphin, sowie die Namen Delphi und Delphinat verrathen „Wasserleute", d. h. Unadelige, denen die Verpflichtung des „Ziehens" obliegt, wodurch es geschah, dass Einige den Apollon an die Spitze des eisernen Zeitalters stellten. Mag. *tinger* (lat. *tingere*) und scyth. *tim*, *dim* (Wasser) verrathen die Balken (*tignum*), aus denen Schiffe gezimmert werden, und weil nun einmal der Turanier als Zugmensch sein Leben fristet, hat scyth. *tin* den Sinn von fortpflanzen. Es soll die Vernichtung, wenigstens Dienstbarkeit, des unruhigen und wandelbaren Turanierthums andeuten, wenn die Rabbiner beim Festmahl des Messias den Fisch Leviathan und den Ochsen Behemoth verspeisen lassen. Auch im goth. *dags* (Tag) liegt nicht sowohl die Tageszeit ausgedrückt, als das offene Feld, auf dem hin und her gezogen wird, wohin das

Tageslicht von allen Seiten freien Zugang wie auf offener See hat, daher ahd. *dagascalh* einen Tagschaffner, wohl auch Tagdieb, ausserhalb des Gehöftes anzeigt. Was die Vorstellung des Herumziehens betrifft, so bietet bei den germanischen Völkerschaften eine Analogie die Periode ihres ersten Auftretens in der Geschichte, während der sie alljährlich eine neue Bodenvertheilung vornahmen, gewiss nach Gilden von je zehn Mann, somit ohne eigentliche Ansässigkeit und vergleichbar jenen Handelsflotten, die der grösseren Sicherheit wegen ihre gewinnbringenden Unternehmungen gemeinschaftlich betrieben. Tages, Sohn des Jovialis und Enkel Jupiter's, wurde für den Lehrer der Etrusker in den Haruspicien ausgegeben, d. h. in der für die Zugvölker hochwichtigen Kunst der Zugvögel, wodurch geographische Namen, wie *Tages, Tanais* u. s. w. ihre Erledigung finden. Goth. *tagi* (Haar) ist sozusagen die Befiederung der Kriegsfahrer. Die Chinesen verstehen unter *hu* nicht allein den Tiger, sondern auch seinen Zopf (Schwanz) als Symbol des gesicherten Familienlebens und Saturnischen Zeitalters. Der allmälige Uebergang von *a* in *i* lässt sich am lehrreichsten an Aas (goth. *ahs*), Asche (Ast, äg. *ast* Bauholz) und Esche verfolgen. Aus *ahs* wurde *aihts,* sodann *aiths, aiz, (æs), eisarn,* wie aus scyth. *adda*, finn. *áiti; aiz* aber verwandelte sich in „Eis" und kopt. **HCC** ist die Asin oder Eisgottheit Isis, somit Zwillingsschwester der Athene. Nach denselben Lautgesetzen ging äg. *Hathor* in *Hether* (*ἑταιρα*), *ador* (Spelz) in *edor* über, bis עֵז Ziege in אֵשָׁה (Flamme) und diese in אִשָּׁה (Weib, Vesta), gemeinschaftlich mit אִית (Besitz, scyth. *iz,* goth. *aiths,* franz. *aide*), seinen Höhepunkt erreicht hat. Vom reinen *i* abwärts verwandelt sich עֹז (Stärke) in עֹז und dieses in עִזִּי. Mit *o* verbunden erlangt der Ziehlaut (*t*) den Sinn des nach oben (*o*) oder in die Höhe Gezogenseins, des Sicherhebens (*tollo,* mag. *tollas* befiedert), zuweilen aber auch des Zusammensinkens, wie denn chines. *to* das wankende (torkelnde) Gehen unter einer schweren Last anschaulich macht, einer Last, die bei den Italikern in der Regel aus Gerstensäcken, die nach dem Zollhaus wanderten, bestand. *Domus* (Damm, finn. *toet*), mag. *domb* Hügel, (ital. *tomba*, finn. *tortto* längliches Gefäss, Torte, lat. *tortus, torques, torus*), *tohu* Staub (weil er in die Höhe steigt = תוהו) mögen als Illustrationen dienen, mit dem Zusatz, dass das, was in die Höhe gezogen wird, als ein Ganzes (*tot, totus*) aufgefasst werden muss. Wie nahe einst *o* dem *a* stand, ist an acht (engl. *eight*) und *octo* ersichtlich. Um überhaupt den vokalischen Werth der Mitlauter zu bestimmen, braucht man sich nur, vermöge eines höchst einfachen Kunstgriffs, an die übliche Reihenfolge der Buchstaben in den verschiedenen Alfabeten zu halten, wobei man es allerdings zu beklagen hat, dass bei den wenigsten Sprachen diese Reihenfolge sich mit völliger Sicherheit feststellen lässt. Es ist die Natur des Sprachorgans selbst, das für das Griechische folgende Aussprache bedingt, indem der an der Spitze stehende Selbstlauter die Reihe der nachfolgenden Mitlauter so lange beherrscht, bis er durch einen andern Selbstlauter abgelöst wird. Demnach folgen auf einander: *βα, γα, δα, ζε, ϑη, κι, λι, μι, νι, ξι, πο, ῥο, σο, το, φυ, χυ, ψυ, οὐ*. Im Lateinischen: *ba, ca, da, fe, ge, he, ji, li, mi, ni, po, qo, ro, so, to, vu, xu, yu, zu*. Ohne dass man den Werth der Selbstlauter im Chinesischen genau bestimmen kann, gewährt wenigstens die Anordnung der Mitlauter reiche Gelegenheit zu Vergleichungen: *ć (ch), f, g, h, ś, j, v (w), k, l, m, n, p, s, ss (sz), ś (sh), t, ç (tsz), ç' (ts)*. Die gleiche Anzahl Zischlaute weist das Iberisch-Baskische auf. Auch das semitische Alfabet bietet des zweifelhaften ע wegen einige Schwierigkeiten dar, doch dürfte nachstehende Lösung die richtige sein: *b'a, g'a, d'a, h'a, su, chu, tu, ki, li, mi, ni, si*; und da sich auf den phönizischen und althebräischen Münzen und Inschriften ע als O (hierat. ass. ⟨-, hier wie dort das Augenrund: עַיִן) geschrieben wird, so ist man wohl berechtigt, in ע den *o*-Laut zu Grunde zu legen, jedoch mit einem stark anlautenden *gh, ko, χo.* Ein indirecter Beweis liegt darin, dass ע (*o*) das Zeichen für die *gay* genannte Stierart ist, von der Juno ihre schönen Augen hatte. Die demotischen Zeichen ρ, ○, O meinen oben, wozu das hierogl. ٩ Aehre (nach der Linken oder Friedensseite gekehrt) sich gut schickt. Aehnlich wird im Chinesischen *wu, u* (*væ* fünf), *ngu* d. h. als Negation (*nego*), gelesen, weil 5 nicht die rechte Zahl ist. Von ע geführt folgen *pho, zho, rho, schho, tho.**)

---

*) Die Gleichheit der iberischen Buchstabenschrift mit der altsemitischen macht sich sofort einem Jeden bemerklich, wenn er beherzigt, dass die semitischen Buchstaben von rechts nach links, die iberischen von links nach rechts schauen.

א archaisch ≮, X = ᐱ; hierogl. ❘ (*ake, oke:* Hacke), Ȼ (*mai* lieben = lat. *Maja* u. *Majus*: Futtermonat); demot. ⩚ Fischschwarm, ⩚ mähen.

ב archaisch 9 = D, ᐁ.

ג — ᐱ = < (c; ᒣ = g).

ד — 4 = ◁.

ה palmyr. ⅄ = ℋ.

ו archaisch Ч = ᚠ (*u, v*); demot. Ч (hierogl. Ч = äol. Ϝ) Individualität, Artikel (*is*).

ז archaisch N = Ч.

ח palmyr. N = ✱.

י archaisch ᐱ = ᚠ.

כ — Ꮧ = K.

ל — ᒣ = ᚠ.

מ — ꟽ = M.

נ — ᓴ = ᚠ (ne ᚠ u. ᚠ).

ס — ᛈ = ξ.

ע — O, ◇ = O, ◇.

פ — ᒣ = Γ.

Schon aus dem Grunde, weil in einigen Sprachen das *o* so gut als ganz fehlt, ist es unabweisbar geboten, in *o* ein abgeschwächtes *u* zu erblicken; man darf aber nicht unbeachtet lassen, dass *u* ursprünglich *vu* oder *wu* (hebr. ו u. gr. *οὐ*) gesprochen wurde und im Chinesischen jetzt noch gesprochen wird. Verbunden mit dem Ziehlauter *(t)* gewinnt *u* seinen sprechendsten Ausdruck in *tu* (äg. *t*, mag. *te*, goth. *thu*, *du*), chines. *tu* Fusssoldat, *tŭ* schleppen und Brei (Commissbrot), finn. *tuo* jener, lat. *duo* — der goth. *thius* (*tuus* Diener), *δȣλος;* letzterer um so beachtenswerther, als das Griechische sehr häufig *ὀ* und *ȣ̓* vertauscht, dagegen von *τȣ* (*δȣ*, *ϑȣ*) den sparsamsten Gebrauch macht. Die dienende Stellung des *thius* und *δȣλος* (pars. *diw* = goth. *thiubs*, Dieb; äg. *tib* Finger deutet auf tupfen, tiefen: durchstecken, verstecken) gewinnt ihren sprechendsten Ausdruck in (goth.) *thulan* (tragen, leiden), die Grundform für (lat.) *tuli* und die gesellschaftliche Lage derer bezeichnend, die mit *ȣ̓λος*, etrur. *tulai*, *Thule (ultima)* zu schaffen haben. Hart *(durus)* und dauernd *(durans*, ass. *dur* = Dauer) ist das Schicksal solcher Leute: sie haben einen harten und aufgedunsenen (finn. *tûhia*, lat. *turgere*) Bauch, den sie zum Besten Vornehmerer entleeren müssen.

O Tite tute Tati tibi tanta tyranne tulisti — sangen die Arvalen und Arimansbrüder. Und so hat es nicht die geringste Schwierigkeit, den geschichtlichen Begriff von *tur* zu Ende zu führen. Es ist der „Zugstier" *(taurus)*, zugleich Zuchtstier, nach welchem der Turanier sich benennt: er selbst

---

צ archaisch ᚴ = ≀.

ק — ᚼ = ⧗.

ש — ш und W = ψ und ᛘ.

ת — + und X = T und T.

⋈ (*rd*) erscheint auf dem Denkmal von Tarragona in der Form von ⋈

lebt als H e r d e n m e n s c h nicht blos hinsichtlich der Thiere, von denen er seine Nahrung zieht, sondern namentlich auch in seinem Familienleben, das den „Communismus“ der Gattung nicht zu überwinden vermag. Das Hebräische allein schon enthüllt das ganze Räthsel: חור Rind und Turteltaube, die rings um das Gehöfte nistet (*περιστερα*: *ῥισκος*), טיר Mauer, (Thurm, *tower*), חור umkreisen und Handel treiben, wie der *peddlar* (Bettler), der als Schacherjude von dem „Thor“ eines Farmers zu dem des andern wandert. Der skandinavische Thor steht als Schildwache vor dem Thore, für Thoren aber galten in der ganzen Welt die Thürsteher, die nicht zur Innengemeinde gehören, sondern als Pfahlbürger oder Tyrier Käse (*τυρος*) bereiten und in den Handel bringen. Wie ihre Büffelkühe waren sie durch ihre Unreinlichkeit verrufen: finn. *tuhrân* (sich im Kothe wälzen), in jeder Beziehung ein Ausbunt von *turpitudo* (finn. *turpa*), obschon zugleich Sammler des balsamischen Opferharzes (*thus, thura*), das den ihnen zugänglichen und gestatteten Tannenhölzern entquoll. Der Turanier gehört auf das D o r f: goth. *thaurp*, ahd. *thorp*, sitzt auf Torfboden, der wohl Viehfutter, aber kein Getreide hervorbringt. In den Geruch der Hässlichkeit kam der Turanier bei den Iraniern nicht etwa blos seiner natürlichen Erscheinung wegen, welche die nachhaltige Berührung mit dem Wasser scheut, sondern in noch höherem Grade wegen seiner Bekleidung, die aus Thierhäuten und Pelzen bestand, daher im Finnischen *turpia* aufgedunsen und *turkki* (Türke) Pelz bedeuten. Ausser Leder und Zwillich durfte noch der mittelalterliche Bauer nichts auf dem Leibe tragen.

Das ist der Ursprung T u r k e s t a n s (Thorkasten, Stierverschluss), der T ü r k e n und aller T h o r e n, die den vollberechtigten Grundeigenthümern gegenüber für *juniores* galten, daher das ass. Schriftzeichen für Sohn im Scythischen *tur* gesprochen wurde. Ihrer riesigen Körperbeschaffenheit wegen (äg. *ur* = finn. *turris* Riese, lat. *turma, turris*) standen sie als Lanzknechte Jahrtausende lang in hohem Ansehen, waren aber auch nicht minder als Prahlhänse (finn. *turha*) berüchtigt. Was dem Deutschen „Thüringen", das ist dem Finnen Norwegen: *Thurja* (Thorsverein), und dass die Senner wirklich Sennereiwirthschaft trieben, bezeugt das Altai-Gebirge, von welchem das Turanierthum ausging. Der Altai ist Alpenland, wie denn alle mit *al* beginnenden Wörter, in erster Reihe „all" selbst, an den steinernen Mattenring erinnern, innerhalb dessen gekäset wurde. Ethnographisch lässt sich das Turanierthum am besten in dem Volksnamen der „Tataren" zusammenfassen, jener dem Tartarus (Erdlöchern) entstammenden schmutzigen *(teter)* und zerlumpten (engl. *tatter)* *) Unholde, die wie Zigeuner (finn. *tattari*) von Buchweizen (finn. *tattari*) und in Vielweiberei (finn. *tattarainen*) leben. Mit gutem Bedacht gab man einer Sorte Buchweizen den Namen „tatarisch"; die Grütze aber, die daraus bereitet wird, ist derselbe Nahrungsstoff mit der aus Asien nach Europa verpflanzten Durrah (mag. *dara* Gries, *δαρατος* thessalisches Brot), die auf der Darre gedörrt und dadurch hart *(durus)* und dauernd gemacht wird. Dass sie schon vor Alters nicht wild wuchs, ersieht man aus dem Stamme דור: in Reihen Gezogenes, und wird der דוּרָא geheissene Distrikt Babylon's durch seine Durrahpflanzungen in Ansehen gestanden haben. Ihr gerichtliches Verfahren bezeichneten die Scythen mit *tartuka* (Wiedervergeltung, ass. *ḥaṣou*): ass. *tar*, gleich *ḥas* (hassen, hadern) und *sib* (ziehen, fassen), ist verwandt mit *trahere* und *torques*, der Grundgedanke aber das Nexum oder Strickrecht.

Höchst charakteristisch für das Wesen Turan's ist der Name der Mongolen. Steht es fest, dass der Scythen-Name von *scutum* und (engl.) *scythe (sithe)*: Schild- und

---

*) Da isl. *tetr*, *tetur* ein gewendetes Kleid ausdrückt, hat man bei (lat.) *teter* und (engl.) *tatter* an Thierhäute zu denken, deren rauhe Seite nach Innen gekehrt wird.

Sensenverein abgeleitet werden muss, also von einer Mehrheit gleichberechtigter Bodenbesitzer, so waltet eine verwandte Vorstellung im Mongolen-Namen: chines. *mong, meng* und *mang* (Frösche), deren unruhiges, häufig von „Mangel" heimgesuchtes Vereinsleben in „Menge" und „Gemengsel" einen sprechenden Ausdruck gewann. *Morrison* gibt *mang* die Bedeutungen: Thon, unruhig, Ocean, blind, Aehrenstachel, Fettgesicht, zottiger Hund, Lallen, Königsschlange, die insgesammt auf unsre Hessen und Hansen Anwendung finden und von *măng* (*meng, mong*): Alter, Hund, Boot, Unterthan, Eilen, Saatgewächs sich in nichts Wesentlichem unterscheiden. Das chines. *mŭ* zeigt deutlich das Froschelement, nämlich das Wasser, an, das zumeist für den Reisbau von unschätzbarem Werthe war und in der grünen Farbe auf feste Dinge übertragen wurde. *Βατραχιον* hiess der Gerichtsplatz in Athen, nicht weil er froschgrün angestrichen, wohl aber für die *βατραχοι* bestimmt war, deren Zunftwirthschaft, von Aristophanes verspottet, der Getreide bauenden Mäusewirthschaft (finn. *hîri* Maus = *'Ηρα*) feindlich entgegenstand. Jupiter warf den nach einem König lüsternen Fröschen einen solchen in der Gestalt eines Klotzes (*κορμος*) darum zu, weil Corpsburschen wohl einen Senior, aber keinen (erblichen) Monarchen nöthig haben. Der Frosch, der sich eine *fraus* zu Schulden kommen liess, musste auf Geheiss des Fraissherrn oder Fraissgerichts den „Fraiss" oder Froschsprung machen, d. h. er wurde aus der Genossenschaft verstossen, für friedlos und währwölfig erklärt, und diesen bürgerlichen Tod achteten die Wölfe dem wirklichen Tod gleich. „Wolfsgesicht" schilt Firdusi den Türken. Vor den berittenen Fröschen, die wiederholt aus den Hochebenen der Mongolei sturmfluthähnlich über Europa hereinbrachen, erzittert jetzt noch das Abendland, das Millionen unermüdlicher Streiter keinen haltbaren Damm entgegenzustellen hat. Die Hauptgefahr lag von jeher im genügsamen Steppenpferde, das nöthigen Falles alle Bedürfnisse der wilden Horden zu befriedigen im Stande ist, indem es namentlich auch in seiner Milch Stoff zu berauschendem Getränke liefert, das nach Schlatter *Kumis* heisst. Schon darum ist es so gut als ausgemacht, dass chines. *ma* (Pferd und grosse Kuh), im Aegyptischen Löwe (Mähnenthier), das Wurzelwort des Mongolennamens ist, daher das Schriftzeichen dafür zugleich ein beflügeltes (Mähne) und mit den Füssen eilendes Geschöpf vorstellt. Der Mongolenfürst (Khan = äg. *hek*) ist in einer Person Kriegsherr und Oberrichter, bei dessen Todtenfeier der ganze Hofstaat nebst Knechten und Pferden erwürgt wurde. *Clavigero* fand in Timur's Hofhaltung unsinnige Pracht und abscheuliche Verworfenheit. *Dschingis-Khan* soll seine eigene Enkelin als Beischläferin benutzt haben; äusserlich zum Theil hoch geachtet, ist das turanische Weib in Wahrheit nur ein Spielzeug des Mannes. Gegen diesen sittlichen Unfug kämpft die Oedipus-Sage, die nach ihrem ethischen Werthe nur dann gewürdigt werden kann, wenn man die Versicherung *Scharastâni's* vor Augen hat, bei den Arabern habe der Sohn die Verpflichtung gehabt, nach dem Ableben des Vaters die Mutter zu heirathen, was nichts anderes heisst, als sie in seinen Harem aufzunehmen. Dass die Eroberungszüge der ägyptischen Pharaonen eine ähnliche Bewandtniss hatten wie die mongolischen Wanderungen, lässt sich dem froschköpfigen *Hek* entnehmen, da äg. *hek* eingehegt und gefangensein, Flüssigkeit (Sumpf), *heker* Hunger bedeuten, was mit Hecht (*Wischnu* als Fisch, ass. *nuni*), Hecke, hegen und den Namen Hecker, Hackert u. s. w. übereinstimmt. Die Frösche hacken, aber pflügen nicht innerhalb ihres Geheges. Von allen ägyptischen Gottheiten führte *Amn-ra* allein den Titel *Hek* (Heger, Hagen). Die Magyaren nannten ihre Frösche *béka* (*beg*, Beck, Bock, Becker) und ihr friedliches Zusammenwohnen *béke*. Bei der über alle Massen häufigen Vertauschung von *h* und *k* hat es nichts

Befremdendes, dass im Finnischen *konna* (Kanne, Cohn, Kuhn) Frosch, *konno* Bauerhof bedeuten.

Der Grundzug des Turaniers und seiner Froschnatur ist und bleibt das Ziehen und Wandern. Es wäre nicht denkbar, dass die Ionier so häufig und wo es nur immer anging, das *σ* mit *τ* vertauscht hätten, wenn *t* nicht den Grundlaut aller Zischer bildete. Diesem Lautgesetz entsprechend wurde scyth. *turra* von den Assyrern צְעָר gesprochen, im Sinne von Zier, Zierde, jedoch so, dass das Zierliche gezerrt (צִיר zürnen) und zerrieben (צוּר) sein muss, wie Gartenland (*tritum*, *terra*), das mit Egge oder Rechen bearbeitet den Eindruck des Zierlichen macht. Der eigentliche Zerrer und Zieher ist ass. *śar* (Czar), dem strahlenden Sirius (ass. *sir* Licht) vergleichbar und als äg. Horapollo (Apollo der *ὁροι* und *horae*) unter der Hieroglyphe eines Sterns (*siû*) dargestellt und als *Chronos* verehrt. Um ass. *śar* schaaren sich *sar* (שַׂר Herrscher), *śar* (סַר böse aussehend, זוּר festbinden, reihen, wie die Suren im Koran). Es bestätigt das Wesen des chinesischen Drachen und seine Identität mit dem Czaren, dass mag. *sárkány* das Wort für Drache ist und von *sark* (Ferse) abgeleitet werden muss: ein Geschöpf, das seine Stärke in den Fersen (Sehnen) hat. Dem ass. *zir* entspricht aram. *kul*, skr. *kula* (*coolie*: Gezogener, Gebundener). Was bei den Scythen und in Susa *sak* (Sohn: in Sackleinwand gekleidet) klang, sprachen die Parsen *çaka* (Tschako, den der Wehrpflichtige als Kopfbedeckung, mag. *sapka*, trug). Wie *ḳ* (ק), so fehlt auch *ṣ* (צ) dem Indogermanischen gänzlich, womit nichts Anderes gesagt ist, als dass die betreffenden Sprachen in der Schrift ihre Zischbuchstaben mehr vereinfachten.

Der Laut- und Begriffswerth der Zischer gehört zu dem Schönsten, was die vergleichende Sprachwissenschaft aufzuweisen hat. Das Aegyptische kennt zweierlei Zischlaute: das einfache *s*, das „sie“ (*su* = *suus*; finn. *suku* Geschlecht, *suka* Borste) bedeutet, und das *sch*, denen beiden *sâu* (*sau* saugen, *sur* Trinker), *schâu* (Sau) und deren rasche, wühlende Bewegungen (*sche* eilen) zu Grunde liegen. Auffallend bleibt es, dass die Katze (*schai* scheu, franz. *chat*) ihren sprachlichen Ursprung mit dem Schweine gemeinsam hat, da *catus* (Kater, Chatte: Katzenkopf), *catinus, catena, caterva, κατα* (niederwärts) aus *ca, caca* (Haufe) gebildet wurde, daher *καταγραφη* Katzenschrift (Steuerzettel) meint; die Aegypter scheinen aber in der That die Schweinezucht mit der Bauernwirthschaft gleichbedeutend genommen zu haben, indem alle in *s* und *sch* anlautenden Wortbildungen zu ihr in einer nicht zu misdeutenden Beziehung stehen. Zunächst die Verwandtschaftsgrade der *sui: san, sen* Bruder, *sent* Schwester, (*senus* säugen: *sinus*), *schem* Frau, *scher* Kind (Scherer, Scharer, *ska* schlagen und pflügen), deren Familienband in *suera:* ausschütten, vertheilen, zu suchen sein dürfte, das in *σφαιρα* (spart.) den *σφαιρευς*, Schwäher und Schwager, überhaupt das cognatische Erbrecht der *sui* (*senef* Blut: Senf) oder Ganerben (*spir, seper* Seite: Seitenverwandte) erkennen lässt. Dazu stimmen, ausser den beiden genannten, die Thiere *sabu* (*seb*, die Königin von Saba) Wolf und Stier, auch Magier' *sebâk* Krokodil, *serk* Skorpion, *schef-schef* Widderschaf, *sekhra* Hase, *sab* Schakal, *ser* Giraffe, *ser* Fuchsente (*anser*), *surut* ein anderer Nutzvogel (*suh* Ei), *ses* Pferd (סוס), *sesmu* Stute; die künstlich gezogenen Nahrungsmittel *su* Getreide (*seken* pflügen), *sar* Rohr, Setzling (*schema* Ordnung, Reihe: *σχημα*), *sem* Heu (*semen*), *seschenin* Lotus, *sen*, *sennu* Schaubrote, *stem* und *sens* Mehlkuchen; der Verschluss des Gehöftes *seb* Thüre, *sebti* Mauer, *sutennu* herstellen (*soutenir*), *sesch* schliessen, *schet* Baumaterial, *senhu* Richtmass (Sehne); die friedlichen Werkzeuge und Beschäftigungen *schabu* Sichel (schaben), *schenti* Leinwand (*σινδων*), *sa* Saite, *seb, seba* Rohrflöte, *seta* spinnen (lat. *seta*), *sekem* Harfe (schlagen), *seschesch* Sistrum; Krieg und Jagd *sef* Schwert, *same* angreifen, *setep* Bohrer, *sér, seti* Pfeil, *sen* durchbrechen, *sneb* Sieg, *senhu* binden, *seser* Steuerruder, *sek* belästigen, *seker* zerbrechen, *seten* und *sekhet* im Netze fangen, *sfech* zerstören; das Verhältniss von König und Unterthanen *suten* König, *sutenet* Königin, *suteniu* königliche Ehre, *sechen* Pharaonenkrone, *schâ* Krone (der persische Schah), *sah* versammeln, *sepet* Lippe, *sme* hören, *setem* botmässig sein, *sen* Kniebeugung, *scher* niedrig. Dass geringe, weil steuerpflichtige (*schem* sich verringern, entleeren: Schemen) Leute unter den ägyptischen *sui* verstanden werden müssen, das bekunden die Schreiber, die sich gerade auf dem Standpunkt, und zwar als Verfasser der Steuerrollen, viel zu schaffen machen: *sekh* Schreiber, *sekhi* Schrift, *skhau, skhe* schreiben, *sekher* schlagen lassen, (die pharaonischen „Treiber" des A. T.). *Sebi* (Sepp) unrein, *schaub* Heuchler werden Diejenigen genannt, deren Zehntfrüchte im *schet* aufgeschüttet wurden und wo die Leichen (*schet*) später ihre Ruhestätte (*schet*, mag. *sir*) fanden. Göttliche Verehrung (*seb, sin* anbeten) erwiesen die ägyptischen *sùi* dem *set, seb* und *sekeri*. Ihre Göttin ist die katzenköpfige Pecht, die auf dem Haupte die Sonnenscheibe mit Uräus trägt und den Rechtsstandpunkt vertritt, der in der Löwenhaut des Herakles zur Anschauung gelangte. Gebildet wurde *pecht* aus פַּח (Schlinge, *παχνη*, woraus *pagus, pagare*: Packen), weshalb sie auch *mer-ptah* = Grenzumschlingung hiess und den Beinamen *mut*: Mut- oder Mitengöttin (מוֹתָר Ueberfluss, Mutter, *magna mater* des Magens und der Mache) führte. Die Wurzel ist chines. *ma* Milchkuh.

Um der hohen Wichtigkeit der Zisch- und Ziehlaute ihr Recht angedeihen zu lassen, stellten die Chinesen ihr *ć* an die Spitze des Alfabets, und insofern mit Recht, weil alle möglichen Weisen und Organe der Zugbewegung: Zahn, Zehe, Zehn (mag. *tiz*), Zitze (ass. *ziz* wiederholt), ziehen; *ζειν, ζην, cire* (ass. *zir* zerren), Zeus (*Zis* Sonne, bei den Indianern *Venezuela's*, goth. *theis* Zeit, mag. *tsillag* Stern) u. s. w. dem

Laute zufallen. Nur so wird es erklärlich, warum צִי Schiff (chines. *ćeu* Schuyte) und צֵאָה (Abgang) dasselbe bedeuten, was *ζεα* (Spelz): צָוָה befehlen, צָעָה beugen ist das Vorrecht des Zeus, wie jeden Ziehers, deren einer auf Zion throute, und chines. *ći* Ast, Vorderzähne, ankommen, halten, nähen, sowie *ćé* Chaise, *će* Leim, *ćin* Vasall (goth. *thius*) lassen sich auf die nämliche Weise bequem unterbringen. Es ist der Standpunkt des sündhaften Gesindes, das als eine Herde Säue in der Präposition *συν* sich beisammen findet, zugleich aber auch die verbale Mehrheit in „sind" und *σι* (*σιν*) bedingt. Im Iberischen ist ΨI (Ψ *tz*) *tzi* das Wort für Eichel, was zu dem Herdentrieb von Borstenvieh am besten passt. Aeg. *c* drückt die verschiedenen Ziehbewegungen aus in Ei, Gans, Kind, Stern. Dass das chines. *ć* nichts anders sein kann und sein will, als *z*, erkennt man daran, dass es unter der eigenen Gestalt von *Z* dargestellt wird, das einzige chines. Schriftzeichen, das wirkliche Buchstabenform annahm: 之. (*ći* = *ζηϑα*), vom grossen griechisch-lateinischen *Z* nur darin unterschieden, dass es die Pfeilspitze auf den obern Querhalken fallen lässt, anstatt ihn als Mittelstrich zu verwenden. Das Strichlein heisst *ću* (zu, Zustrich) und bedeutet Haltepunkt, Sperrhaken; da der Begriff des Ziehens in allen möglichen Wandlungen dabei vorausgesetzt werden muss, so versteht es sich von selbst, dass es, gleich dem angehängten *ζειν* (zeihen = vor Gericht ziehn), unter allen chinesischen Hilfszeitwörtern, im freundlichen wie im feindlichen Sinn, am häufigsten im Gebrauche ist. Sehr oft entspricht es auch dem Fürwort dritter Person *„sie"*, von dem im Deutschen angenommen werden muss, dass es gleichermassen aus ziehen gebildet wurde. Chines. *ćun* ist auf Zunder und zünden übergegangen, und tritt in *ćung* als Zunge, im Sinne eines Mittleren zwischen zwei Aeusseren, auf. Im Aegyptischen enthält das hieratische Zeichen ⳽ (*ta, ti, sa, si*) noch alle beide Ziehpunkte vereint, und gibt eine befriedigende Erklärung dafür, warum das Koptische kein eigenes *z* hat. Die Hieroglyphe stellt das s. g. Pharaonenhähnchen [illegible] vor, das zu 2 abgekürzt wurde und in solcher Verkürzung das arabische Zahlzeichen für 2 vertritt, im Demotischen als Gattungszeichen des Wiedehopfs, Falken, Geiers und der Fliege dient. Zum Ziehen gehören mindestens Zwei, weshalb das hieratische Zeichen [illegible] (*ne, ni*) den Plural anzeigt, gewiss in Uebereinstimmung mit ass. *nisi* Mensch und den Kürbispflanzungen Ninive's. Es passt gut dazu, dass mag. *kettö* (2) unserer Kette und Kitte entspricht. Gleichwie die Pharaonenzüge in Heerzügen erfolgten, so erscheint der Pharaonen-Vogel als Zugvogel oder in *faræ,* die sich scharenweise nach den verschiedensten Himmelsgegenden in Bewegung setzen. In derselben Weise „fuhren" die drei Asen und die drei Fürstensöhne der Burgundersage, die langobardischen Faren und die Burgundäfarones, überhaupt alle Farmannen und Wargangs, die normannischen Waräger und die böhmischen Jaroslawe (*varones, barones*). Es begreift sich, dass das Vorbild der Zugvögel sich dem Bewusstsein der Völker, der siegenden wie der besiegten, tief einprägte: hing es doch davon ab, welcher Theil die im Schweisse des Angesichts erworbenen Früchte hergeben oder geniessen, wer Herr oder Diener sein sollte. Ohne ihren Viehstand, überhaupt ohne die nöthige Fahrniss, war die älteste *fara* (Heerfahrt, Eggen Ausfahrt) nicht denkbar: den Magyaren bedeutet *barom* Vieh, mit nahem Bezug zu engl. *barley* (Gerste) und *barely* (bar, blos), *báràny* Lamm, *barom-fi* Geflügel, *barona* Egge, *barát* Freund, Mönch, letzteres vielleicht, weil die Fahrer sehr oft keine einheimischen Weiber mitnahmen, sondern Frauen sich an Ort und Stelle erwerben mussten. Auch fürchte ich nicht zu irren, wenn ich mag. *három* (3) für ein und dasselbe Wort mit *barom* halte. Die Fare oder Fahrt ist somit dasselbe, was *ver sacrum* oder Colonistenzug, ihr Getränke mag. *ser* oder *sör* (Bier: *serum,* Sauer), nächst heranreichend an *śar* (Koth).

Die Vermittelung zwischen *t* und *s* überkamen *ϑ* und *þ*, *d* und *ð*, alle ohne Unterschied schlingenförmige Zeichen, jedoch mit der Eigenthümlichkeit, dass das gehauchte *ϑ* und *þ* eine obere Verknotung zeigt, da *h* den in die Höhe steigenden Hauch und Rauch (רוּחַ) ausdrückt. Man könnte versucht sein, das Zero oder Zornzeichen (צִיר): 0 (Null) von *d* und *ð* in die Höhe versetzt zu glauben: *ϑις* (Haufe), *ϑιασος* (Gesellschaft), goth. *thius* (Diener), enthalten den Wurzelbegriff, für dessen logische Abgrenzung es von besonderem Werthe ist, dass goth. *thiuth* (*ἀγαϑον*) dasselbe ausdrückt, was *ϑις* und *ϑιασος* — nämlich in die Höhe gezogene, in Kästen (Castellen) aufbewahrte Zehntgarben. Dasselbe Standesabzeichen, das in mag. *sajt* Käse, *sarló* Sichel, *sás* Riedgras, *sátor* Zelt, *serét* Blei, *serte* Sauborste, *sinór* Schnur, *sisak* Helm, *só* Salz, *sógor* Schwager (Seger), *sokaság* Menge, *som* Dirne, *sóska* Sauerampfer sich bemerklich macht, bestimmt zugleich mag. *ts* und *sz*, nämlich die Dienstbarkeit: *tsalárd* falsch (goth. *thiubs*), *tsendes* still, *tsipás* triefäugig, *tsipős* bissig, *tsorba* zahnlos (Sorbe, Serbe), *tsúnya* hässlich, *száj* Mund, *szal* Seil, *szalag* Salweide, *szan* Schlitten, *szántás* Ackerung, *szar* Stengel, *szárny* Flügel, *szarv* Horn, *szarvas cervus*, *szeg* Vogel, *szekér* Wagen (ags. *scacan*, engl. *shake*), *szem* Auge, Kern, *személy* Person (Schemel), *szemét* Mist, *szén* Kohle (Schein), *szen* Hütte, *szék* Stuhl, *szep* schön, *szerszám* Sterz, Werkzeug, *szíj* Riemen, *szita* Seil, *zsidó* Jude (*citus*, am Strick gezogen), *zsak* Sack, *sziget* Insel, *szin* Farbe (Zinn), *sziv* Herz (schief und Schiff, chines. *sin* Sinn, Sintflut), *szoba* Zimmer (Schoppen), *szolga* Diener, *szomjúság* Durst, *szomszédság* Nachbarschaft, *szózat* Stimme, *szúrok* Pech, *szőlő-tő* Weinstock, *szőr* Haar (Schur, Schere), *szövés* Weber, *szüle* Eltern, *szülő* Gebärerin, *szűz* Jungfrau (Schützin = Diana). Ist der Nachweis von mir anderswo wirklich geführt, dass der Sabbath oder Samstag der für die freiwillige Gerichtsbarkeit der geringen Leute bestimmte Wochentag war, so stimmt dazu nicht allein mag. *szombas* Samstag, sondern es erhellt zugleich aus *szereda* Mittwoch, *szerelem* Liebe und *szerentse* Glück, dass die Scherer (Scharer), im Gegensatz zu den Schomburgs, die nach Weinrecht lebten, am Mittwoch ihr Bauerngericht (*comitium*) abhielten. *Szel* Rand und Winter ist unser „Schelle", „Schall", aber auch „Zelle" und „Zoll", wovon Zeller (Sellerie) und Zoller als Randsitzer.

III.

Iran.

„In den Hochebenen Iran's sassen die Stammväter des Japhetischen Geschlechts“ — das ist ungefähr der Ertrag der geschichtlichen Untersuchungen über die Ursprünge derjenigen „Race“, der die Wissenschaft das Vorrecht einer ausnahmsweise geschichtlichen Blutmischung zuerkannt hat, den Semiten ein gesteigertes religiöses Bewusstsein überlassend. So wohlfeilen Kaufes sind die historischen Antithesen und Synthesen nicht zu haben, aus dem sehr natürlichen Grunde, weil die Blutmischung innerhalb des Menschengeschlechts nirgends Schranken bildet und das Vernunftvermögen gar keine Naturschranken anerkennt. Als ob aus einem Turanier schlechterdings kein Iranier werden könnte! Als ob es ein unüberwindliches Vorrecht der Schädelbildung und der Hautfarbe gäbe! Zwischen Iran und Turan entscheidet der Selbstlauter *i*, von dem sich, so wenig als von einem andern Vokal, behaupten lässt, er besitze eine „unveräusserliche und unverjährbare“ Geltung. Vorausgeschickt muss die Bemerkung werden, dass in der Kindheit der Sprache und gleichsam als die ursprüngliche Hebelkraft des Sprachgeistes die Aspiration so gut als den gesammten Umfang des Lautsystems beherrschte. Die Griechen verfuhren ganz correct, indem sie einem jeden Selbstlauter das schwache oder starke Hauchzeichen beilegten und damit eine uralte Erinnerung in dem geschichtlichen Bewusstsein der Menschheit festhielten. So ist אָרָם (Hochland) dasselbe was *harem* (mag. *öröm* Wollust); עָלַץ dasselbe was (span.) *alas* = *hélas; Osiris* lautete im Aegyptischen *Hesiris*, Haken oder Hacke dagegen *ake* (ἀκη); Aal (Ahle) und engl. *haul* (wovon heulen); Aar und Haar; Arm und Harm; Ader und Hader; Art und hart (Hartmann, Hartung); Ahn und Hahn; Aas und Hass (ἀση); Acht und Hecht; Arbeit und Harbheit; goth. *hlaifs* und Laib; goth. *hlaupan* und laufen; mag. *ökör* und Höcker decken sich vollständig, so zwar, dass durch Abwerfung der Aspiration eine sinnliche Anschauung den Werth einer schematischen Vorstellung erlangte. Insofern ist die kürzere Wortform allgemeiner als die längere.

Gleich dem Griechischen hat die Keilschrift ein dreifaches *i*: das gemeine (= η), das leicht (*í*) und das stark aspirirte (*í*). Dass ass. *i* dem η entsprach, ist am Finnischen ersichtlich, wo *itu* (ἦτα, lat. *ita*) Keim bedeutet, im Grunde den Phallus oder Lebenswirker. Der eigentliche Träger des *i* ist יִ: יָאָה — bejahen — und נָאָה nahe sein, wohnen; die Grundvorstellung des r e i n e n *i* im Besondern aber hat man zu suchen in (lat) *in* (innen, innerhalb), wovon goth. *inna* Hausgenosse, so dass es sich gegensätzlich verhält zu *u*, das stets ein Unteres oder Aeusseres anzeigt. Erwägt man, dass das äg. *i* ein fremdes, von Osten (*ibt*) eingewandertes Culturleben anzudeuten scheint, so liesse sich damit nicht nur eine Bestätigung des Zusammenhangs zwischen Meroë und Indien finden, sondern zugleich eine Erklärung dafür, warum im Finnischen *itá* dem äg. *ibt* entspricht, *isá* Vater (*is-hi*, יֵשִׁי, אִישִׁי), *ihu* innere Haut, *istun* festsitzen, *istukas* Saat, *itse ipse, iká* Alter bedeuten. Das schwach aspirirte *l* kommt dem הֵי (he! hie! hier!) gleich, wovon הֶאָח juche! הָה Richtung, als die Richte eines geordneten Familienlebens. Die beiden in gleicher Linie liegenden Pfeile als Zeichen des *l* werden die Bodenvermessung und Ansässigkeit bezeichnen sollen. Zu zwei Stiergestalten aufgerichtet und *ai* ausgesprochen, bekommt *l* die Bedeutung von אֵי (wo), אִי Insel, Uferland, babyl. *it* alle, offenbar in nahem Anschlusse an mag. *isten* Gott, *idö* Zeit (*idus*).

Ass. *l* entspricht dem hebr. ח (חַיִת Umzäunung, Mauer), chines. *ši* zusammenstehen, zusammenhalten, auch zusammenfassen (חָתָה) und durch gemeinsames Wirken Schrecken einflössen (חִתָּה). Immer aber liegt in der starken Aspiration „hoch“ und „heben“ (erhaben) ausgedrückt: äg. *ha* Häuptling, kopt. *ho* Gesicht, *hi* oberhalb, äg. *han* Phallus (Hahn), chines. *han* Hang, Abhang, bask. ᛟN *hon* (gut, Honig, Hymettus), äg. *hep* Vogel, *hebi* Festversammlung (Ἥβη, Haube, Haufe), *hen* Beter und Weihrauch, הַב spenden, הַבְהָב Brandopfer (Hep! Hep!). Ob man chines. *hai* (Heu), oder hebr. חַי lebendig (wer vom Heu sich nährt), oder ass. *ḫi* Thier (חַי) nimmt, sie alle stammen von der Anschauung des in die Höhe Hebens und aufrichtenden Ziehens. Dies gilt namentlich auch von dem Namen I r a n ’s, als eines H o c h l a n d e s, zumal von Medien, dem gebirgigen Nordwesten des iranischen Tafellandes, im Unterschied von Turan, dem Nieder- und Steppenlande. Um aber einzusehen, dass Iran richtiger Hiran gelesen würde und dasselbe meint was Ἥρα (die Hehre, Herrin), braucht man blos auf ass. *ir* zu achten, was im Hebräischen עִר geschrieben wurde und gleichbedeutend ist mit Hochstatt, Bergstadt, Larissa. Nicht genug, dass הָרָא (Arien, Grossarmenien) ganz ähnlich von הַר Berg (ὄρος, ὅρος) abgeleitet werden muss: Moses wurde auf dem H o r e b, Muhammed auf dem H i r a n durch Sendboten Gottes in die Geheimnisse Iran’s eingeweiht. Das Iberische hat zweierlei Bezeichnungen für S t a d t, die, so ähnlich sie auch klingen, sich entgegenstehen wie Iran und Turan: HNΛ *hili*, s. v. a. hell, heil (in der Höhe), sodann ZΛN *Zili* (Ziehleute), der Name von Steiermarks alter

Hauptstadt Cilly, von Alters her durch ihren Getreide- und Weinhandel berühmt, Stammort der Ziller, Zeller und Seiler. Es kann schwerlich einen andern Grund haben, warum demot. *hr* (kopt. *hrei, hrai*), hierogl. durch ein Menschenantlitz vorgestellt, oberhalb bedeutet, *kher* (*κηρ*) dagegen unterhalb, beide somit den Gegensatz von Kopf und Herz. Das eigentliche Geheimniss bestand darin, dass das unruhige Vereinsleben der Turanier, ihre Art Communismus, weichen musste vor dem Vollwerthe der freien Persönlichkeit, das Harem vor der Einehe, der Stamm vor der Familie. Die griechische Hera (lat. *hera*) ist die rechtmässige Frau, die rechte Kinder (*heres*) empfängt (הָרָה) und das heilige Friedensfeuer auf dem Hausherde eifersüchtig (lat. *ira, ἐρις*) bewacht. Und nicht ihre Frauenehre allein bewahrt sie: auch die Kornähre (hierogl. Getreide = hebr. פ: פֵּא Mund) ist ihr geheiligt und unter ihre mütterliche Obhut gestellt, damit kein Unberufener die Schwelle (finn. *hirsi;* Hirsenstengel) des Familienhauses (engl. *herse*) überschreitet. Erst unter den Iraniern waltet die rechte *χειρ* (*manus, mancipatio, χηρ* Igel, *χηρος* verwittwet) und die rechte Mundschaft (äg. *hir* = *pre* Oberhaupt), die ohne den gesponnenen Wollfaden und das zarte Wollengewebe (*ἐρια*) zur Befestigung vertragsmässiger Verbindlichkeiten und zur Beilegung von Streitigkeiten in der Gemeinde nicht gedacht werden können. Völker von turanischer Abstammung, oder richtiger Civilisation, verbinden mit *ir* (lat. *hir*) die Vorstellung von Fettigkeit und Dünger: mag. *ir* Schmer, finn. *ihra* Speck, חֲרָא Excremente, חָרָא sich entleeren, חָרָה *urere* (Urin), so dass man es ganz in der Ordnung finden muss, dass im Aegyptischen *rra* (Schwein), *rr* Kind (*sus* und *suus*), *r* sein (= goth. *svein*) ausdrücken, während bei den Iraniern der *hircus* (*ἐρκος*, finn. *herkên: arcere*), zugleich Hirsch, Reh und Renthier, das Zuchtthier der Hera vorstellt. Dass Hirsche und Rehe (רֵעָה Gefährte) im

Alterthum als Hausthiere zum Melken und Ziehen benutzt wurden, ist aus den deutschen Volksrechten ersichtlich, und wenn, was im Iphigenienmythus eine so wichtige Rolle spielt, Hera mit der Artemis den Cultus dieser Thiere zu theilen hat, so kann dies ebenso wenig befremden, als dass zwischen *Ormuzd* und *Ariman*, zwischen *Brama* und *Wischnu*, trotz aller Gegnerschaft, Beziehungen, und zwar intimster Art, stattfinden. *Artemis* stellt die Jagd, wie *Ares* den Krieg der Argen vor; allein Jagd und Krieg sind nur Vorstufen zum Saturnischen Zeitalter der friedfertigen Lebensordnungen. Dieselbe Hirschkuh, die von Artemis gejagt wird, dient in Hera's Stall als zahmes Hausthier. Das Hirtenleben steht der Hera ebenso nahe, als die Hörner des Herdenviehs den Gebirgshörnern. Um das Gewand von Rum schlang Rustem den Gürtel, als er auf seinem scheckigen Reksch dem Schaf von Iran zu Hilfe eilte.

Wo und wie immer *r* als herrschender Mitlauter auftreten mag: Rad (Kreis, äg. *rat* Fuss) und Radung (Kreisbewegung) geben den Ausschlag, daher äg. *rôt* pflanzen, keimen (engl. *root*), finn. *râdan* (roden), äg. *rat* thun, *rôt* (engl. *rod*) das Instrument zum Roden und Bestocken. Es kommt auf dasselbe hinaus, wenn die Aegypter unter *ra* die Sonnenscheibe (Helios mit dem Sperberkopf), einen Thorflügel und Wagen, die Assyrer das Sehen (רָאָה wegen der radförmigen Form des Auges) verstanden, wozu der weitere Umstand tritt, dass das ass. Schriftzeichen für *ra* sich von *l* kaum unterscheiden lässt. „Fest" (*ἔρμα*, finn. *hermo*, Fessel, Walze, *firmus*, Firmament) und „eingefasst" (äg. *ret* Gefäss, Röthel, Keim, Geschlecht, mag. *ret* Wiese, lat. *rete*, *opus reticulatum*) ist Hera's Grund und Boden, selbst dann, wenn er nur zur Weide (רָעָה) für das Zahmvieh (finn. *râwas*) dient. Hochgelegen (רָאָם, רוּם, רְאוּמָה, *Roma* und *rum* der Iranischen Heldensage), wie es seinem Wesen nach sein muss, bedarf es des Quellwassers (רִי Bewässerung und Ueberfluss, *ῥεῖν*,

Rhea, äg. *roman* Granate, die den *r*-Laut ausdrückt, *rôhi* Palmwein, *rime* Thräne); erschöpft aber ist das flüssige Element damit noch nicht, sondern bedarf zu seiner Ergänzung der künstlich bereiteten Getränke. Bei den der Hera geweihten Thieren ist der Schmuck der in die Höhe stehenden Hörner und Geweihe (רֶאשׁ) unerlässlich. Eben diesen hörnernen Waffen hat man es zuzuschreiben, dass die Iransleute die Vorstellung der „Rache“ und des Rächeramtes vom Kriegsgeschäfte auf ihre Gerichtsstätte übertrugen: *ῥαχίζω* ist sowohl im äg. *rekh* (brennen)*), als in *reker* (Rächer, Recke), einem Beinamen des Osiris, als Vorsteher der altfränkischen Rachinburger (Regensburger), enthalten, so dass äg. *rech* eine gerichtliche Unterredung auszudrücken scheint. Bei den auf der Höhe (רוּם) weidenden Thieren können die Semiten nur an Rindvieh gedacht haben, da רְאֵם offenbar von dem Brüllen der Ochsen und Kühe ausgesagt wurde. — Für ass. *rim* ist das Bild ein quadratischer Verschluss, ein Zeichen, das die Chinesen *huei* (Höhe) aussprechen und unter anderem eine Alpenmatte darunter verstehen. Ein Synonym von ass. *rim* lautet *ḥap* und dürfte in הֶפֶךְ wenden (Hippe, der schwäbische Ortsname Heppach) enthalten sein; ein zweites Synonym *kir* bedeutet Kaminrund (כִּיר), ein drittes *gil* kreisende Zeit, Generation (גִּיל), ein viertes *ṣam* Zaum, Schlinge (צַם) — lauter Bestimmungen einer umschlossenen Höhenweide. Ass. *rum* drückt ohne alle Umschweife Hochland aus, daher das Zeichen dafür ⟼ nicht blos im Assyrischen, sondern auch im Chinesischen von der Alpencultur verstanden werden muss. Zum Hornvieh zählten in hervorragender Weise die Hirsche. Der Elch oder Elen hat mit dem Elephanten das gemein, dass er eine Elle (*ἀλκη*) zwar nicht als Rüssel, wohl aber als Geweih trägt; seine Behaarung ist lang, dicht und straff,

---

*) *Rustem's Reksch* war ein feuriger Renner und Rächer.

und macht es seine lateinische Benennung *tarandus* wahrscheinlich, dass sie in den Ortsnamen Tarent und Tarand enthalten ist und zu *terra* in Bezug steht. Das Renthier, von dem die Lappen und die Indianer Amerika's jeden Bestandtheil, selbst den scheinbar unbrauchbarsten, zu verwerthen wissen, dürfte, wie das deutsche Rind, mit äg. *ren* (Name) zusammenhängen, ähnlich wie *νομη* mit *nomen*. Unter *renen* verstanden die Aegypter werden, pflegen, und benannten den Dammhirsch *henen*. Das iranische Gegenstück zu dem turanischen Büffel ist übrigens der J a k (*poëphagus grunniens*) Indiens. Von ihm stammen die Schweife, womit die Morgenländer ihre Pferde und Elephanten zu schmücken lieben; bei den Abendländern ehrt seinen Namen die nützlichere J a c k e, und dass er g e j a g t (iber. ||ᛉᛘ, *jitz* Jagd)*) wurde, können die Jagd liebenden Briten bezeugen, die ihn jetzt noch in seiner ursprünglichen Wildheit auf den höchsten Höhen des Himalaya aufsuchen, wo er sich in Gesellschaft des *Kiang* oder wilden Pferdes mit Antilopen, wilden Schafen, Hunden und Füchsen herumtreibt. Durch *poëphagus* wird er als Kürbisfresser bezeichnet, von chines. *pŏ* (Kürbis), und berichtet über ihn A. Schlagintweit, die Gegend, wo man ihn antreffe, gehöre in thierkundlicher Hinsicht zu den merkwürdigsten der Erde. Sie ist es auch in culturgeschichtlicher Beziehung, und lässt sich von dem Jak insbesondere ohne Uebertreibung behaupten, dass an seinen Haaren das iranische Culturleben hängt. Der Jak grunzt und ist ein Mittelding von Rind, Pferd und Schaf. So wird es erklärlich, warum Schaf und Kuh mit demselben Namen benannt werden konnten: *au, aua, aha, ahet* bedeutet im Aegyptischen Kuh, *ah, at* Ochs, wogegen skr. *avi*, ahd. *awi* das Schaf (*ovis*) meint. Der Bisamochs, wie sein lat.

---

*) Sollte nicht unser Jetzt davon abzuleiten sein im Sinn von Erjagtem?

Name *ovibos* abermals bezeugt, sieht einem Widder ähnlicher, als einem Stier, und lässt sich scheren, wie ein Schaf; anders wäre es gar nicht denkbar, dass die chinesischen Lexikographen die an sich ungeheuerliche Behauptung wagen konnten, in ihrer Sprache sei unter *mĕ* und *çe* (Zebra) ein Blendling von Esel und Kuh zu verstehen. Gemeint kann damit nichts anders sein, als ein zwischen Rind und Pferd in der Mitte stehendes Geschöpf, dessen Fleisch, Behaarung und Zugkraft sich zum Vortheil der Menschen verwenden liessen. Im zahmen Zustand verliert der Jak die schwarze Farbe, wird braun, roth und gescheckt, d. h. ein modernisirter Jak, von dessen Haaren sich anständige Gewebe herstellen lassen. Was weiss daran ist, das färben die Chinesen, als eingefleischte Kuhhalter, brennend roth, vielleicht um die dunkelrothe Farbe des Kiang (finn. *ruskas* rothe, d. h. russische Kuh) nachzuahmen, und bereiten daraus Quasten für ihre Sonnenschirme. Sonst dienen sie allgemein als Fliegenwedel, äg. *seri* (aus seidenen Strähnen der Serer bereitet). Beim heiligen Berge Bogdo am Altai setzten Kalmücken ganze Herden von Jaks aus, an denen sich ausser den Geistlichen Niemand vergreifen durfte. Sie sind jetzt ganz wild. Radde traf im südlichen Theile des Apfelgebirges Herden, die selbst in schneereichen Wintern nicht gefüttert zu werden brauchten. Während der Büffel, gleich dem Schwein, mit unaussprechlichem Behagen sich im warmen Sumpfe wälzt, erträgt der Jak die Wärme nicht, um so besser die Kälte, so dass er nicht den geringsten Anstand nimmt, auf dem Schnee zu lagern. Selbst Frühgeburten vom März bedürfen keiner Fürsorge Seitens der Menschen. Schwimmt der Büffel ausgezeichnet, so klettert der Jak noch besser. Als Last- und Reitthier ist er dem Tibetaner geradezu unentbehrlich; doch hält es schwer, selbst mittels des durch die Nase gezogenen Rings, ihn zu beladen, da er nur mit grösster

Noth zum Stillestehen gebracht werden kann. Bei schwierig zu passirenden Gebirgspässen leistet er Unübertreffliches, verliert aber niemals ganz seine angeborne Wildheit. In der indischen Mythologie wurde der Jak in eine Menge Namen verwoben, so namentlich in den Jakschas, Schatzhütern im Gebirge, beim Lichte betrachtet Schafsknechten (*prisci*).

Jak wurde aus *ja-k* (Jakuh und Javerschluss) zusammengesetzt; *ja* ist das adverbiale *ju* (*yu*) im Zend: *jungere, jugum,* und da die gezähmte und jochbare Kuh der Iranier die Wolle lieferte, aus welcher ein edler Kleiderstoff sich anfertigen und ausserdem der Vertragsfaden spinnen liess, so gab man ihr den Namen Ja-Kuh. In der Form von *jang* (*jungere*) unterstellten die Chinesen dem Jak den Sinn von Schaf oder Ziege (mag. *juh*), wogegen die Aegypter ihren Esel *ja* nannten, und mit dem Löwen, dem Wolf und der Maus mit demselben Gattungszeichen versahen. Dieses *ju* oder *ja* dürfte indess schwerlich von *ha* (hoch) verschieden und damit Alpenvieh ausgedrückt sein, dessen Segen durch juchhe! begrüsst wird. Es ist aber gestattet, noch einen Schritt weiter zu gehen und, unter der Vermittelung von ע, den Gay (mag. Gy, im Unterschied von *bial* und *bika* Büffel, *gulya* Herde Hornvieh, *nagy* gross = viele Gys nahe oder beisammen, *gyermek* Kind, *gyomor* Magen*), *gyapju* Wolle), der in der That ein Bergthier bedeutet und in der Form Gayal (גָּאָה brüllen wie ein גוי Stier) das mittlere und südliche Indien, sowie Ceylon bewohnt, für weiter nichts als eine Abzweigung der „Schecken“ zu halten. Am Ganges erscheint der Gay zugleich als Bewohner des Hoch- und des Tieflandes; der Zauber aber, der seiner Züchtung inwohnt, wird durch den Ring des Gyges veranschaulicht.

---

*) Das Guna im Sanskrit meint Gyjochung = φιν (φινα). So nahe stehen sich Kuh und Vieh.

Nach der gewöhnlichen Annahme ist der Gayal der Vater des gemeinen Rinds und wird seiner Nützlichkeit wegen von einzelnen Hindustämmen als heilig verehrt; allein wenn nichts Erhebliches dagegen eingewendet werden kann, dass der im Tafellande, an den immer grünen Ufern grasende Gaur, dessen Namen die turanischen Muhammedaner den Ungläubigen als Schimpf beilegen, einfach für einen mit dem *r* bezeichneten Gay angesehen wird, so lassen sich ebenso wenig entscheidende Gründe dagegen anführen, dass man den Gayal zu einem Abkömmling des Jak macht. Zehn verschiedene Arten Rinder oder Stiere hat es ursprünglich gewiss nicht gegeben; wenigstens verräth schon der Name des Zebu: *z — βες*, dass eine von den Bramanen durch besondere Züchtung und sorgfältige Pflege eigens erzielte künstliche oder Cultur-Race darunter verstanden werden muss, welche entweder durch Fortpflanzung von ausgezeichneten Individuen aus einer natürlichen Race oder durch Kreuzung natürlicher Racen entstand. Umgekehrt bezeugt der Eifer, womit in der Iranischen Heldensage und bis zur Stunde in Persien der auch unter dem Namen indianisches Pferd bekannte Gaur oder Gur gejagt wird, dass das angehängte *r* ein wildes und kein zahmes Thier anzeigen soll, der Gaur folglich zum Gay und Gayal sich verhält, wie das Zebra zum Zebu. Für Giaurs (גּוֹיִם) gelten den Sunniten in erster Reihe die Schiiten.

Im Jak treffen geradezu alle Momente zusammen, um ein geordnetes, darum festansässiges Familien- und Gemeindeleben zu Stande zu bringen, was bei den Turaniern, sofern sie Wanderstämme (ass. *tur* wandern) waren und sein wollten, unmöglich geschehen konnte. Das Erzeugniss des iranischen Geistes ist die freie Persönlichkeit im Gegensatz zum precären Besitz; Wollenes im Gegensatz zum Leinenen und Ledernen; das von der Wolle des Jak stammende *jus* des Nexums im Gegensatz zur *lex* der Linken und Halben (Hübner). Japhetisch sind die Iranier, weil ihr Recht das *ja* (*jus*) der *fides* (*vades, vadere*) enthält, folglich im Nexum gipfelt*); was aber ihren religiösen Glauben anbelangt, so kann er unmöglich anders, als monotheistisch sein. „An Ahrmann oder Gott den Einen glaube" — singt *Firdusi*, und meint damit, es möge Einer Polytheist oder Monotheist sein: „er werde doch zu Staube." Iranisch ist aber auch die wahre Wehrhaftigkeit: der Niederländer ist wohl stark zu Schiffe, im offenen Felde widersteht er selten dem Anprall des Hochländers, und jener verhängnissvolle Geschwindschritt, in welchem die Griechen bei Marathon die dichten Perserhaufen durchstürmten, war der Anfang einer classischen Kriegskunst. — Ist das Nilthal zwar nicht die Wiege, wohl aber eine der Wiegen menschlicher Gesittung, die nur auf dem Wege der Eroberung fortschreitet, da in der Regel auch die ausgesandten Colonien Grund und Boden sich erobern und das Eroberte mit den Waffen in der Hand festhalten mussten, so wird man Iranisches und Turanisches schon im alten Aegypten nachweisen können. In der That spaltet dieses merkwürdige Stromgebiet sich in Ober- und Unterland, Thebais und Sais = Heliopolis, Ammon und Neith, Lotus (*reck*) und Papyrus (*cheb*), weissen Hut (*het, hat*, חֵית, mag. *hét*: 7) und rothe Kappe (*tescher*). Die Oberen sind die Eroberer und Herren, die Unteren die Unterjochten und Steuerpflichtigen. Von der Bereitung von Brot aus dem *lotus libycus* ist bereits die Rede gewesen; auch die Samenkörner der der Isis geweihten *nymphaea nelumba* galten für besonders schmackhaft, wurden aber aller Wahrscheinlichkeit nach häufiger von

*) Es verdient Beachtung, dass nach *Firdusi Feridun Iran* an *Iredsch* als Minorat fallen liess, während nach Turanischem Erbrecht (z. B. bei den Russen) nicht der Sohn, sondern der älteste Bruder succedirte. Es ist dies Halsrecht der Frösche.

Schweinen, als von Menschen, verzehrt. Auch dass die Papyrusstaude genossen wurde, lange bevor sie als Schreibmaterial diente, darf aus dem *παπυροφαγος* des Scholiasten gefolgert und darauf die Vermuthung gebaut werden, dass *παππος* und *παππας* den gleichen Ursprung haben. Der äg. Artikel *p* und ass. *bab* (Thüre) bezeugen für eine Menge Sprachen, dass in *po* oder *ba* die Wurzel für eine lange Reihe menschlicher Entwickelungen enthalten liegt. Der Zusammenhang von *pa* (Pappe, chines. Kruste) und *ba* (Holz, *baculum*) bedarf keines Nachweises; es lässt sich aber auch nicht bestreiten, dass *populus* ein turanisches Standesverhältniss im Unterschied von dem iranischen *senatus* in sich begreift. Gehörten Ammon, Khem und Kneph der Thebais an, so sind *Ptah, Neith* und *Ra* Gottheiten der unterägyptischen Bauernwirthschaft. Ptah wird mit dem Nilmesser dargestellt, weil in dem Nilschlamm der Segen der Ackercultur enthalten ist; als Bauernkönig trägt er die Kappe und nennt sich „Herr der Wahrheit“, richtiger der *fides*, weil er den Standpunkt des Stallviehs gegenüber dem Pferch Ammon's vertritt. Abzuleiten ist er von פָּתָה und פָּתַח: er sperrt die Getreidespeicher (בָּר) auf, deren Vorsteher (goth. *thiufads*) er ist, und verkauft das Zehntgetreide, wie es in der alttestamentlichen Geschichte Joseph's so anschaulich beschrieben wird. Sein Vorbild hat der memphitische Ptah an dem oberägyptischen *Mener* (מָנָא, מָנָה zählen, messen: der *Minos* der Gersteninsel) oder Fruchtmesser, dessen Memnonssäule bei jedem Sonnenaufgang die Zehntpflichtigen an ihre Schuldigkeit erinnert. Ptah erscheint unter allen ägyptischen Gottheiten zuerst bekleidet, während die vorangehenden ausser einer Kopfbedeckung und dem Schmucke von Armen und Beinen nackt sind. Seine Kappe (*πετασις*, Kremphut der *ἐφηβοι*) ragt nicht mehr hoch über den Wirbel hinaus, noch auch hängt sie fellartig wie bei Num und Hekt über den Rücken herab, umschliesst vielmehr den

Ober- und Hinterkopf. Der nackte und ungestalte Patäke von Memphis stellt einen Ptah-Hekt oder Getreidefrosch als zinspflichtigen Bauer vor. Der Stamm ist lapp. *patak, πισσα* Pech: Pechmann, *pech* Hölle u. s. w.

Für alle gesellschaftlichen Zustände, unter denen ein hordenweises Zusammenleben die Idee der Persönlichkeit zu keiner Reife gelangen lässt, ist die äg. *Neith* vom höchsten Belang. Der Buchstab *n* negiert: nein, äg. *nen,* er thut es aber nicht direct, sondern indirect, weil je näher die Menschen zusammenwohnen, sie um so kleiner an Macht und Ansehen erscheinen. Die Zahl solcher kleiner Nachbarn, Narren, Nichte, Necke, Nackten und Nüsse ist neun (*novem, ἐννεα*), auffallender Weise bei turanischen Völkerschaften 4 und 2×4: finn. *neljä* und mag. *négy* 4, chines. *ngo* und mag. *nyoltz* 8. Das Nichtige ist zugleich das Nasse, das abfliesst und davonschwimmt: נָוָה, *νιζω,* netzen, *nasci, natio,* Nase, *νησος,* נוּס fliehen (davonschwimmen), ass. *nuni* Fisch, äg. *neb* schwimmen, *nenen* Wasser, auch *num* enthalten insgesammt die beiden Begriffe des Nahen (äg. *na* sich nähern, *nâ* Menge, chines. *na* nahe bringen) und Flüssigen vereinigt; gleichsam in Scharen oder Haufen wird davongezogen, wie es Nomadenart ist. Das neugr. *neron* Wasser (*nero* schwarz) ist das Element des *Nereus.* Flüssig muss *n* unter allen Umständen schon darum sein, weil die arab. 9 dasselbe Zeichen ist mit demot. 9 (Flossen und Bestimmungszeichen der Fische); die Grundzahl aber bildet das demot. Wasserzeichen 3' (arab. 3); kopt. *psic* (neun) muss ohnedies in *piscis* wiederkehren. Im Assyrischen werden zwei parallel an einander gehängte Pfeilspitzen sowohl *man* (*manus,* unser „man“) als *nis* (*nasus, νησος*) gesprochen, weil beide Organe, zu denen sich die nippenden Lippen gesellen, die bewegliche Nachbarschaft (die Nasen zusammenstecken) gleich gut bezeichnen. Hiernach hat man die Sage von Nisus zu deuten. Er ist König von Megara (Magdeburg), Gebieter über Macher und Mägen, die zwar im Dienste Poseidon's stehen, aber doch auch so viel Getreide bauen, dass von ihren Zehntgarben eine goldene Haarlocke das Haupt des Königs schmückt. Mit ihrer und seiner Megariker Hilfe widersteht er dem ihn belagernden ächten Gerstenkönig Minos erfolgreich, bis ihm durch den Verrath der eigenen Tochter die lange Locke der Scharknechte, wie dem Simson durch die Delila sein ganzes Haar, abgeschnitten wird. Bei den Babyloniern hiess der Mensch *nisu* (Nachbar, aber nicht Freiherr), dem die Skandinavier Niflheim als Wohnort anwiesen. Nebelig ist die Niederung, in der sich das nasse Element ausbreitet: der Niederhaltende (Gott) hiess bei den Aegyptern *neter*, der Herr (*neb*) über die Gesammtheit (*neb*), deren Nomen oder Nomadendistrikte durch thiergestaltige Sphinxe (*neb*) angezeigt und begrenzt waren. Lat. *nævus* (Malzeichen), die Namen *Nævius*, Neff sind identisch mit äg. *neb*; man darf aber nicht vergessen, dass die Nassen oder Nassauer überall auch auf die Handelsschifffahrt angewiesen sind, weshalb im Aegyptischen *nb* und *nf* zugleich die Bedeutung von schwimmen, blasen, Gold und Gut haben. Weiderecht und freie Wasserfahrt begegnen und kreuzen sich überall: der Finne nennt *navetto* den Viehstall, was die Andern *navis, navicula, navette*; *nauta* ist jenem das Rindvieh (chines. davoneilen) und *nisá* Euter; das hindert aber nicht, dass er zugleich durch *nokko* Tropfen, durch *noppân* und *nirisen* tröpfeln, durch *nirahdan* spritzen, durch *nikara* Wasserfall (Niagara), durch *niwa* Wasserschnelle (Newa) ausdrückt; *Nila* (Nil) heisst ihm der Schleim, Schlamm (mag. *nydl*)*), dem Griechen *νηλιπος* barfüssig, eigentlich im Schlamme watend. Es ist gewiss das Richtige, dass Chi-

*) Zu dem gesegneten Schlammboden des Nil-Ganges gesellt sich *παραδεισος*, da *δεισα* nach *Suidas* den Sinn von Schlamm hat. Das Land neben (*παρα*) dem Flussschlamm ist paradiesisch, weil es keiner künstlichen Düngung bedarf.

nesen und Tibetaner den Europäern den Namen *nyi-jang* darum beilegen, weil sie als Seefahrer oder Wasserverbundene (*jang* = *juncti*, ass. *juku* Volk: Gejochtes) bei ihnen erscheinen und Einlass auch da fordern, wo man ihn nicht gewähren will. Das nasse Wesen galt von jeher als widerchristlich, daher die Kirche nicht blos den Wucher im weitesten Sinn, sondern Handel und Industrie überhaupt als „seelengefährlich" verbot.

Das Verhältniss der Naheleute oder Nachbarn (Naben) erhält im Frieden das Symbol des Nabels (finn. *niweli* Gelenk, נֵבֶל Schlauch, *σπονδη* Spunt) und des Nagels, im Kriege das Abzeichen des Nackens (mag. *nyak*) und Leders (finn. *nahka*). Eine seltene Uebereinstimmung der sprachbildenden Vernunft gibt sich namentlich auch in der Identität von נֵבֶל (Nabel) und נָבָל (Thor) zu erkennen, da ganz die gleiche Analogie durch „Thor" (*janitor*, *Janus*) und „Thor" (*stultus*) ausgedrückt werden soll. Es wird zusammen genäht (chines. *nin*), genietet (finn. *nîtân*), verknotet (*nodus*, finn. *nûha* Salband, *nuha* Wulst, *niwon* binden), vernagelt, und wessen Nacken einmal den Knoten trägt, der ist zu Botmässigkeit (*nutus*, finn. *noudan* folgen) und Knappendienst (finn. *nouto*) verpflichtet. Ein solches Verknoten ist den Finnen das Heirathen (*nain*), franz. *nain* (Zwerg), aller Wahrscheinlichkeit nach das chines. Kreuz 夭 das eine Verkrümmung und Verkrüppelung der Viere anzeigt und wohl auch dem Worte *jao* (klein, eigentlich gebunden) nicht fremd ist. Zur Unterstützung der Annahme dient, dass 口 夭 lachen bedeutet, offenbar unter derselben Voraussetzung, die in unsrem „sich buckelig oder einen Buckel lachen" enthalten ist. Mit vorgesetztem Zeichen des Menschen (亻) erlangt es den Sinn von sich stützen, trauen (*ja*). Engl. *nap* (Tuchflocke), wovon *napkin* und franz. *nappe*, meint den gesponnenen, gewirkten und gebleichten (mag. *nap* Lichtschein) Faden der

Nachbarn, die an sich nur negative Grössen, nach ihren Führern benannt sind. So erkläre ich es mir, warum die Aegypter unter *nen* sowohl nein, als führen verstanden: mit letzterem wird „nennen" gemeint, weil im Nomadenleben (ass. *nim, num, νομη*) ein zusammengehaltener Volkshaufe (ass. *nep*) oder Stamm (scyth. *niman, numan*), ein Geschlecht (mag. *nemzet*, wovon *németi* Deutscher, verwandt mit *nemo*) einer Herde *νηπιοι*, Nipper oder Unmündiger (finn. *nappa*) gleichen, die nach ihrem Führer sich „nennen" und mit seiner Erlaubniss „nehmen". Die Vorstellung des Gescharten, Gehäuften und Geballten liegt in *νεφος*, *nubes* (*cumulus*), *νεφρος* Niere (Nürnberg), *νευρον* Sehne, finn. *nyrri* Bückling, so dass *nubere* dem finn. *nain* zunächst steht. Alle in *n* anlautenden Verwandtschaftsgrade beziehen sich ausschliesslich auf Stellung und Recht von Seitenverwandten, namentlich auf die halbe und negative Stellung der Frau: chines. *niö*, scyth. und türk. *nin* Weib, *νυμφη* Braut, נון, נִין Schössling, Sprössling (mag. *nö crescit*), alles Ninivitische, Nonnen- und Neunerhafte (*nonum*) ist eine halbe Fehlgeburt cognatisch, weil es zum *genu* (finn. *niweli* und *nilkka*, wovon Nelke ihrer Stengelknoten wegen) und zur Cognation gehört. Die assyrische *Nana* und scyth. *Nanæa* (*Dea magna*) hat Namen und Eigenschaften gemein mit des skandinavischen Baldur's Gattin *Nanna* (Nonne), span. *niña*. Das Weibliche (finn. *nâra*) gilt für das Närrische, Narrenhafte; daher skr. *napât*, pars. *napâ* (Enkel, *nepos*, Neffe), finn. *nepas* Geschwisterkind, *nainen* Jungfrau (*νεηνις*), *nunnainen* Liebchen, *nato* Schwägerin, *nuodet* und *nââlâ* Schwager, *nuoti* Eltern der Braut, mag. *néne* ältere Schwester, *νεννα* Tante. Was zur Neune gehört, ist „neu", von der Art der *juniores* oder jüngeren Söhne (finn. *nuorûs*), gewissermassen durch die Nabelschnur festgebunden, wie die Schnur oder Schwiegertochter. In *nubere* bezieht sich *nubes* auf den Schleier: ein Mädchen aus edlem Blut und werth, dereinst „Hausherrin“ zu werden, sieht niemals ein Mann „entschleiert“, noch lauscht er auf ihrer Stimme Laut, bevor ihr der rechte, weil einzige Ehegemal den Schleier zurückschlägt und den Gürtel löst.

Ueber „Neue“ (*juniores*) ist die ägyptische *Neith* gesetzt: die Neidgöttin (goth. *neith*, *νειχος*) und Nächtige (engl. *night*), die als das früheste sociale Gestaltungsprincip aus dem nächtigen Dunkel herausschreitende Culturerscheinung; mit dem Spruche: *ἠλθον ἀπ᾿ ἐμαυτης*, Weberschiff und Bogen in den Händen springt sie, eine zweite Athene, aus dem Haupt der Urgottheit, indem sie Bruchland (*νειος*) bestellt und die zerstreuten Geschlechtergenossen (*νεοδαμωδης*) sammelt (goth. *naht* Naht): eine Flickerei von Neudämmern und Blachfeldern, die über die gemeine Nothdurft (goth. *noth*) nicht hinausführt. Für die Lehre von den Sprachlauten ist es von Erheblichkeit, dass der *g*-Laut in der Regel aus *nk* abgeschwächt wurde, woher es rührt, dass im Chinesischen *n* und *g* fast ganz nach Belieben sich vertauschen lassen, und im Griechischen *ν* und *γ* ursprünglich ein und dasselbe Zeichen gewesen sein müssen. Beim Zusammenstossen beider gleicht sich selbst der Längenunterschied aus: *γγ*. Besonders lehrreich ist chines. *ngu* (5, als negative Zahl), das zuerst zu *wu* und später zu *u* abgekürzt wurde und augenscheinlich im semitischen ע, das der arabischen 5 zu Grunde liegt, nach seinem ältesten Tonwerthe sich erhielt. Das Instrument, das Neith in Bewegung setzt und von dessen Erzeugnissen Ptah seine Speicher füllt, ist *ra* (*aratrum*, mag. *ar* Schuhahle), das rasselnd (*ἀρασσω*) und radend (*ῥαιω*) die Erde lockert (*ἀραιοω*), indem es den Netzfäden der Spinne (*ἀραχνη*) ähnliche Furchen zieht, das leuchtende Gold (mag. *arany*) aus der „rothen“ Erde scharrend. Im Iberischen (Baskischen) sind nur *niz* und *dut* flectirbar, *ni* und *du* somit die eigentlichen verbalen oder Bewegungswurzeln: verknoten und ziehen (*nectere* und *dare*). Will man Jemand Achtung bezeigen, so redet man ihn *nuzu* (Nutzen) an; die familiäre Anrede eines weiblichen Wesens ist *nun*, eines männlichen *nuk* (Nacken), was in vollem Einklang mit dem Bisherigen steht. Man kann es kaum eine Vermuthung nennen, wenn ich bask. *dut* (*habeo*) mit dem mag. Ablativzeichen *tul*, und *niz* (*sum*) mit dem Dativzeichen *nek* in eine logische Beziehung bringe. Selbst damit kann man sich befreunden, dass demot. *ankh* leben von der Anke der Angeln stammt, die „Nacken an Nacken" stehen.

Furchengold ist mit aeg. *Ra*, der dritten Hauptgottheit dieses Kreises, gemeint. Ra's Leute sind die Raben Odin's, in Schaaren von 200 (ר), deren Lärmen (רֵעַ) und Verwüsten (רָעָה) sie für friedlichere Leute gerade nicht zu angenehmen Nachbarn (רֵעֶה) macht. In der gesellschaftlichen Zahlentheorie haben die Raben wenigstens keine primitive Bedeutung: א = 1 (kopt. *ua*) ist der Stier und Steirer (steuerpflichtig); ב = 2 Behälter, ass. *pi* (פֶּה Mund), chines. *hi* (匚, ein umgekehrtes ב), verwandt mit ass. *i* = חַיִת Umzäunung, Mauer (mag. *hét* 7); ג = 3, ass. *ga*, גָּעָה brüllen, wie ein Stier, גָּאָה steigen, emporgehen, גֵּא Stolz, woran sich ass. *gù* = גֵּו Rücken, Inneres, Mitte (Gau), finn. *kolme* (Kulm), mag. *kilentz* 3 × 3, chines. *kieu* schliessen; ד = 4 (דֶּלֶת Thür), ass. *da*, דָּא (da, das), דָּאָה fliegen, sich in den Angeln bewegen, Raubvogel, weil er im Fliegen Kreise beschreibt, Dach synonym mit Thüre, altchines. *ting* (spätchines. *ssé*) Nagel, Dekade*); ה = 5, mag. *öt*, ass. *i* (הִי heda! hie! hier!), הֶאָח juchhe! הָה Richtung; ו = 6, ass. *u* (וָו Waffe, Nagel, Haken) = ass. *sam* (chines. *sse*), שָׁם da! שֵׁם Merkzeichen, *ṡam*, סַם Würze, Mist; ז = 7, ass. *za* (nicht Waffe, sondern Arbeitswerkzeug, etwa Karst), זוּע sich anstrengen, schwitzen (*sudare*); ח = 8 Umzäunung, im chines. Duodenar *hai* 12 (Dutzend), s. v. a. Heu, mag. *hat* 6; ט = 9 (Schlange,

---

*) Kopt. *ftu* (4) wird als F-*tu* (Zugvieh, Viergespann) zu lesen sein, und insofern entspricht es unsrer Viere = Fuhre.

Schlinge), ass. *ta*, טָא treiben, טָעָה umhertreiben: die unruhige Neune; י = 10, ass. יָאָה (bejahen) = נָאָה nahe sein; כ = 20 (Hand), ass. *ka*, כָּאָה matt, schwach sein, wie ein Handarbeiter = *dik* (דַּךְ elend = Dachs), דָּכָא, דָּכָה zerreiben, mit der Hacke arbeiten, Welle, Wassergraben; מ = 40, ass. *ma*, מָא etwas, מָאָה abgrenzen, מֵאָה Quantum, מָעָה fliessen; נ = 50, ass. *na*, נָא nicht gar (d. h. blos nahe dabei, nicht drinnen), nicht doch! assyr.-hierat. ◇ נָאָה wohnen; ע = 70 (Quell, Auge), ass. *ya* Vertrags- oder Bundesrecht des Synedriums.

Zur Vervollständigung des zweiten ägyptischen Götterkreises bedarf es noch einer eingehenden Prüfung der Namen *ma*, *mu*, *mutu*, *imatep*, die sich insgesammt auf *„manus“* und *„mund“* zurückführen lassen, woher es kommt, dass im Aegyptischen *m* die Präposition der Gemeinschaft (mit) bildet, gleichwie für den Griechen der Mundbare ein *μηδεις*, wohl ein Individuum, aber keine Persönlichkeit, ist. Zunächst muss an מָאן Gefäss (der Stamm zu Mond und Mund), *μανος* Halsband erinnert und besonders in Erwägung gezogen werden, dass äg. *men* zugleich Vorderfuss und Vorderarm, ausserdem Haus und säugen bedeutet. Die Hand- und Mundzahl ist kopt. *mnt* (10): die Zehn, die auf dem *ager decumanus* zusammen wirthschaften und *Decimæ* nebst *Nonæ* zu entrichten haben. *Ma*, eine Tochter Ra's und Unterägyptens, vertritt den Standpunkt derselben Mundschaft, unter der in Deutschland die Bevölkerungen standen, deren Ortsnamen mit *rad* oder *roth*, *leben* oder *loewen* (äg. *mâu*, *maui*) beginnen. Aeg. *ma* (Gemeindeland, Gerechtigkeit, Treue) meint die Solidarität des Bauerndorfes, Wasser- oder Fischereirecht: מ, מַיִם Welle (äg. *mu*, *mâu*; *mau* glänzen), das häufig mit פ vertauscht wird, weil פֵּא (פֶּה) Mund bedeutet, פֵּאָה Athem und Gegend, פָּעָה athmen, keuchen. Daran knüpft sich der Begriff des Masses (מָאָה), sowohl hinsichtlich der Bodenvermessung, als des vom Besitzer für den Niessbrauch zu entrichtenden Steuermasses (מֵאָה, äg. *mene**) Mass, *meh* füllen), womit für den Mundbaren sich die Vorstellung einer fliessenden (מָה) Entleerung (ital. *ma*, franz. *mais*) und schwächlichen (מָעָה) Leibesbeschaffenheit verbindet, woran die Ablieferung (מוֹעֵר) des Bodenertrags auf die Mute, Maut (מוֹעָדָה) schuld ist. Es stimmt dazu vortrefflich äg. *mehet* (*mahit*) Norden, insbesondere Athen, denn Athene befindet sich Apollon gegenüber in derselben untergeordneten Lage, wie Nordägypten zu Südägypten. Wenn nun äg. *mench* arbeiten, *manch* das Gegenstück zum Halsband *Ptah's* (פָּתָה die Lippen aufsperren: *petere, pedere*) bedeuten, so ist der Zusammenhang mit Mönch (*μοναχος*, *μονος*, *μονη*, Mond, manch, Mensch) ganz unabweisbar, weil sich auf keiner Seite eine befriedigende Ableitung dafür beibringen lässt. Die Steine des Halsbandes waren braun oder gelb, da das mit *mantu* nächstverwandte *mentet*, wohl nicht weit abstehend von *methet* (rother Granit), einen Stein dieser Farbe anzeigt, von dem angenommen werden darf, dass er dem chinesischen Jaspis (*jü*) entspricht, dessen Streifen in äg. *men* (Vordergelenke, zugleich gründen und säugen), auch in *mer* (lieben) und *mur* (Vorgesetzter) eine politisch-sociale Bedeutung erlangten. Sie haben den Sinn untrennbaren Zusammengelegtseins. Nicht anders verhält es sich mit iber. *me* (Mꟻ) Erzstufe. מָן Manna (*μαννα* Krume), מֵן Antheil, מִן von, מָנָה sondern, Gabe, מָנַע zurückbehalten, מָנֶה Gewicht, מְנִי babylonische Venus (Minne), מָעַן zutheilen — gehören zu Menes, dem Gotte der Menner und Minatoren, der zum ersten mal bekleidet auftritt. Der Stoff, in den er sich kleidete, war ein Zwilchkittel: *μανδυας* rauher Mantel. Von der Familie des Manes sind *μανδακης* (Bad), *μανδαλος* Riegel (Mandel in der Schale), *μανδρα* Verschluss, *μανης* Becher, sodann *μενω*, *μην*, *μανθανω*, *μανια*, *μηνις*, *μινθος*,

---

*) Es ist das *mene tekel*.

μινυς. Mit dem *t*-Zeichen kommen hinzu מְטָא (*μετα*), *metari, metere, meta, messis, metiri*, מִטָּה (Mite, Lager), מַטָּה eingraben, מְטָה Mutte, Mass, מֵיתָר Strick, מַת Massmann (schachmatt, *mactatus*), מְתַי Ausdehnung, מִדָּה Steuer: Alles in Allem die gesellschaftliche Stellung der Meder.

Der Druck, der auf der „Minne" lastet, indem die „Menner" (demot. *man* einrichten) lediglich dazu bestimmt sind, gepresst und ausgequetscht zu werden, prägt sich am Vernehmlichsten in *u* (äg. *mu, mau*) aus: מוּת sich ergiessen, מוּד sich ausdehnen, מוּט wanken, מוּךְ zerfliessen (Mauch), wobei durchgehends an Meth gedacht werden muss; sodann מוּל beschneiden, מוּם Mangel (Mumme), מוּן meinen, מוּסַב Steuer, מוּסָךְ bedeckter Gang, מוּסָר Zwang (Muss), מוּעָף Verdunkelung, מוּעָקָה Bedrängniss, מוּץ ausdrücken (mosten), מוֹץ Spreu, מוֹצָאָה Kloake, מוּצָק Enge, מוּה spotten (mu rufen), מוּר austauschen, מוּשׁ zurückweichen, מוּת sterben. Die Parsen können mit dem Namen *mudraya*, den sie Aegypten gaben, unmöglich etwas anderes haben ausdrücken wollen, als ein Land von Mitenvereinen (Mutter, Mieder, מוֹתָר), gleichwie das parsische Wort für Mensch: *martiya* (znd. und skr. *meretya*) einen „Marsverbundenen" oder „Freiherrn" (מִרְדָּה Herrschaft) ausdrückt. Speciell in *mntu* hat man *μαντις* (מַנְדַּע Erfahrung, Einsicht) zu suchen, der den Mennern oder Zehnern Red' und Antwort steht (מַעֲנֶה), wenn sie einen Bescheid von ihm haben wollen. *Imatep* dagegen bekleidete die Würde eines langobardischen Gastalden oder Kastenverwalters, der, was die fleissigen Immen zusammentragen (*ἡμαι, ἡμα, ἁμα*), in dem Kasten (חֵבָה) aufspeichert. *Αἱμα, ἡμεις, ἡμι*, חֶמְאָה Sahne, *ἱμας, εἱμα*, חֵמֶת Schlauch, חֵמָת Burg lassen deutlich ein Bienengeschlecht erkennen, auf welches das *sic vos non vobis* Anwendung findet. Aber auch *hether*, die Behausung des Horus, gehört zu *ma*, als die *ἑταιρα* und *ἑταιρεια* (äg. *heter* Stute), die in Ament einen festen Herrschersitz hat (אָמֵן: *amen* = fest, zuverlässig; אֲמָנָה, אָמְנָה Pfeiler), aber doch nur von geringer Brotfrucht (*ἀϑαρη, ἀϑηρη* Spelz- und Weizengraupen, *ador, edor*) zehrt, die *araΣ peraΣ*: ausserhalb des verschlossenen Ackerlandes, wie es auf dem Gesetzstein von *Felthina* heisst, wächst.

Das geschichtliche Culturbild des Nil- oder Schlammlandes gelangt zu einem befriedigenden Abschluss darum erst in dem dritten Götterkreise. *Rhea* = לְאָה, die Lasse und Latin, somit keine Freifrau, gebiert von verschiedenen Vätern zwei Kinderpaare: *Osiris - Isis*, einen Heliossohn und eine Hermestochter, und *Typhon-Nephthys*, Sohn und Tochter des Kronos. *Hesiris* (*Osiris*), Ase oder Pflugscharer, darum auch Herrscher über Assur, stammt von *Helios-Bel*, dem Gott des hellleuchtenden Vlieses und oberstem Herrn der Seller oder Hellenen. Der hebräische Wörterschatz enthüllt Zug um Zug sein Wesen: er ist Herr der Zehn (עָשׂוֹר) und des *ager decumanus*, Gott des Bindens (אָסַר) und Häufens (אָצַר), des Furchenziehens (אָשַׁר: Ascher) und des umhegten (עָזַר) Ackerdistrikts (אֶתֶר *regio*, Regensburg), dem zu Ehren er seine Bauernkrone (עֲטָרָה) trägt. Unter seinem Scepter (עֶצֶר) lebt es sich glücklich (אָשֵׁר, אֲשָׁרִים); er schafft Reichthum (עָשִׁיר) und Ueberfluss (עֹשֶׁר), wofür der Verein (עֲצָרָה) Derer, die sich auf ihn stützen (עֵזֶר), den Zehnten (עִשָּׂרוֹן, enthalten im Namen Ischarioth und der Isar) zu entrichten, Opfer (עֶתֶר Weihrauch: Aether) und Gebete (עָתַר) darzubringen haben. Des Osiris Hauptfest ist das Hüttenfest (עֲצֶרֶת), das die Aegypter beim Erscheinen des Horus begingen, d. h. zur Zeit, da die befruchtenden Nilwasser sich verliefen und die Grenzsteine (Obelisken, Meten) sichtbar wurden, so dass die Parallele mit *Hermes* und *Terminus* auf der Hand liegt.

Seine Gattin *Isis* ist nicht wie ihre Mutter als „Latin“ geboren (Latinerin), keine Kebsin, vielmehr als Tochter des *Thoth-Hermes*, des Herrn von *Nebs*, *Nubes*, *Nubien*, *Niflheim*, die ebenbürtige und rechtmässige Gemalin ihres Bruders: אִשָּׁה Asin, und als solche gehört sie, wie die ihr geschlechtsverwandte Athene, zum Ziegen- oder Schafrecht (עֵשׂ Ziege, ihrer Hörner wegen dasselbe Wort mit Esche, aber auch mit goth. *ahs* Stengelfrucht) der phönizischen Astarte (עַשְׁתֹּרֶת Mutterschaf), kleidet sich in gesponnene und gewebte (עָשָׂה) Stoffe (עֶשֶׂת), trägt die Frauenhaube, die ihr das Recht verleiht, mit ihrem Gemal Thron und Scepter zu theilen. Von ihrem durch die Steuereintreiber reich gewordenen Vater (Mercur) hat Osiris sie nicht gekauft: umgekehrt brachte sie ihm eine ansehnliche *dos* (אִית, scyth. *iz*) an den häuslichen Herd (אִשָּׁה, אֵשׁ) mit, dessen sicherste Stütze (אשׁ, daraus wurde ראשׁ Pflugesche gebildet) ihre eheliche Treue bildet, von der sie auch dann nicht lässt, wenn ihr Gemal unter den Wellen des Nils verschwindet. Der gesegnete Sprössling der treuen Geschwister- und Gattenliebe ist *Horos,* der Beschützer der Grenzsteine (*termini*), ohne deren Heilighaltung und gesetzlichen Schutz keine staatliche Ordnung gedeihen kann.

Ganz anders das zweite Paar *Typhon-Nephthys* — Saturnskinder und darum Flüssigkeitsgötter, im Gegensatz zu den Brotgottheiten, vom Geschlechte der *υἱες* und *sui,* die nicht zum *i* (innen und oben), sondern zum *u* oder *y* (um und unten) gehören. In Typhon sind enthalten: תּוֹעֵבָה Greuel, תּוֹעָפֹת Glanz, Schatz, Bespringung durch den Stier, תוף dörren (die Durra, jedenfalls mit *θαπτω* verwandt, unter Bezug auf das Begraben im Tufe), תְּעוּף Dunkel (Teufe, Taufe, Teufel), תֹּפֶת, תָּפְתֶּה Scheiterhaufen (zugleich das Aufbewahren der Asche verbrannter Latenleichen im „Topfe"). Im Aram. bedeutet תְּפַת richten (äg. Todtengericht?) und insofern steht Typhon neben *Tefnu,* der löwenköpfigen Pecht. Aus dem Griechischen treten in den mythologischen Gesichtskreis: *τυφων* Wirbel, Wasserhose, *τυφη* Riedgras, *τυφος* Rauch, Eitelkeit, *τυφλος* blind, *τιφη* Buchweizen, *τιφος* Sumpf, *τυπος* Hammer, Ambos, *τυπτω* schlagen, *τυποω* abdrücken, *τυφομανης* hoffärtig. Alle diese Charakterzüge finden ihre Bestätigung durch die etymologische Deutung von Typhon's Schwester Nephthys, die nicht anders als der *Neith* nahestehen kann, mit der sie die negativ-weiblichen Eigenschaften gemein hat; ihren Grundzug aber bildet das Hervorsprudeln (נָבָא) der Naphtha (נָפַת fliessen und duften) aus den Erdlöchern (נָבַב bohren), wofür bereits Chaldäer und Syrer diese Bezeichnung hatten. Nephthys ist die Personifikation des in Nubien anschwellenden (נֹב, נוּב, talm. נָבַט) und abwärts treibenden (נָוֹב), damit Segen (נָוֹב) spendenden Nilschlamms (נְבֵלָה Niederschlag, Aas, *νεφελη*, Nebel). Wenn nun angenommen werden darf, dass Typhon-Nephthys als unterirdische Gottheiten mit den Erdhöhlen der Troglodyten zu schaffen haben, so ist doch Nephthys in weit höherem Grade Symbol der schwimmenden oder Schiffswohnung: נָוֶה *navis* (נוּע *nutare*), נֶפֶת Kreis, im Lande נַפְתַּח. Dies liegt zugleich in dem Beinamen *Anuke* ausgesprochen, den die Nephthys führt: ass. *anaku*, אָנֹכִי (äg. *anok* = lat. *me*), אָנָא von אָנָה kreisen (nach den Bewegungen des Schiffes auf die gebärende Frau übertragen); in Nephthys, als Bewohnerin eines Schiffes, wird das Weib zum ersten mal ein persönliches Wesen: Ich (Ana) und bringt darum auch persönliche Wesen zur Welt. *Anuke* ist die Hestia oder Vesta, die am Herde festsitzende Frau, in der Iranischen Heldensage *Nahid* oder *Anahid* (Venus); die Verbindung, in welche Typhon mit *Set* und *Nubi* (*Seb-Nutpe:* Vater und Mutter der Götter) tritt, will nichts weiter besagen: נָתַב eindämmen, *νασσω* stampfen (*nasci*), *νυσσω* nussen, stossen, נָסַף flechten, נָתִיב Fusspfad (*nativus* = einheimisch), נְטִיפָה Töpfchen, *νυβυστικος* klug (nubisch) lassen deutlich die Ansässigkeit der Pfahlbauperiode erkennen. *Nutpe* trägt zuweilen den Topf wirklich auf dem Kopfe.

Seb oder *Set* muss schon darum demselben Ideenkreise

mit *Nutpe* angehören, weil häufig, besonders im Chinesischen, *s'* mit *n* vertauscht wird. Die Aegypter gaben den Lippen den Namen *spotu*, da auch l oft genug die Stelle von *n* (Nippen), beziehungsweise *s*, vertritt, und schwerlich dürfte es gelingen, für „Spott“ eine zutreffendere Ableitung ausfindig zu machen. *Set* oder *Seti*, der Saatmensch und dritte Adamssohn Seth, bedeutet Süd oder Süden (chines. *šen*): *sitis, seta*, finn. *seitti* Spinnengewebe, Seide, *σηθω, σηταω, σης, σησαμη, σιτεω, σιτιον, σιτα* sind von demselben Himmelsstrich. Sein Symbol ist der Esel mit all den verschiedenen Verrichtungen, die er der festsitzenden (סוּר) Menschheit des Sudan im Haus (סַר Verschluss, שֵׁת Säule, die den Schatten wirft, שַׁד Milchbrust)*) und auf dem Felde (שֵׂר Bodenstück, שָׂדַי Feld, שָׂדָה in Schollen brechen, שְׂדֵה Ackerboden, שָׁתַל pflanzen, זַחוּא Setzling) von jeher leistete. Daran schliesst sich eine Reihe idealerer Vorstellungen, die sich mehr oder weniger alle auf *scutum* zurückführen lassen, zugleich aber die Eigenthümlichkeit haben, dass auf dem Punkte Semitisches und Germanisches sich in auffallender Weise begegnen. Gleichwie in engl. *shoot* die Begriffe Schuss, Schössling, Schoos (*sinus*), Schoss (Abgabe) zusammentreffen, und zwar unter dem Bilde von altfränk. *schodo* (Schote, *scutum*: Kriegs- und Friedensschild), so finden sich im Hebräischen ganz analoge Ausdrücke: שׁוֹר Druck, שׁוֹט Peitsche, שׁוּט herumstossen, שׂוּט sich wenden, שִׁטָּה Schotendorn, שׁוּת schützen, stellen, שַׁדַּי Gewaltiger, שֵׁת Trinkgelage (*contubernium* der *Lex Sal. c.* 42. 43 und gleich dem Friedensschild der Rachinburger zu 7 gerechnet), שָׁתָה trinken und spinnen, שׁוּת weben, umwickeln, was von dem auf dem *schodo* (Rechtsschild) befindlichen Vertragsfaden verstanden werden muss.

---

*) Das fast gleichlautende שַׁד zerstören (Schaden) kann nur von muthwilligem Verschütten: *gettare*, *jeter* verstanden werden. Bei den Finnen zählen die Schaden nach Hunderten (*sata*).

Noch näher als *seti* (*sitis*) steht dem Trinkgelage *seb*, der Säufer, der darum die Gans auf dem Kopfe tragen dürfte, obwohl auch der Esel, wenigstens in der Form von *ὀνος* (*οἰνος*), dem flüssigen Elemente huldigt. Es ist keineswegs aus der Luft gegriffen, wenn der Alexandriner *Apion* die Juden beschuldigte, sie beteten einen Eselskopf an: in ihrem *Baphomet* haben die Templer eine Repristination eben dieses orientalischen Thierkopfes sich erlaubt, damit aber nicht mehr gefrevelt, als durch die seit dem neunten Jahrhundert üblichen Eselsfeste zur Weihnachtszeit im Abendland längst vor ihnen gefrevelt worden ist. Ihr ganzes Vergehen bestand darin, dass sie den Carneval und sein Weinrecht auf das ganze Jahr ausdehnten, d. h. das canonische Billigkeitsrecht Saturn's gegen die harte Rechtsordnung des Feudalismus durchzusetzen beabsichtigten. Medusa's Schlangenhaupt besagt nichts Anderes. Den Beinamen *un* (Huhn) theilt Seb mit Osiris; der ächte Saufgott wird Seb erst in der verlängerten Form von *sebak* (Sebach, Sebeck), der jüngste der Götter und durch den Crocodilskopf (*συχος*: Sauger, Suckel) als Zecher (Bacchus) gekennzeichnet. Als Trinkgefässes (*σαβριας*) bedient er sich des Widderhorns, das er gleichfalls trägt, wodurch es sich zugleich erklärt, warum *σαβαζιος* eine phrygische Gottheit, *σαβακης* einen Perser bedeutet. *Σαβακτης* hiess der lärmende (*σαβαζω*) Dämon gegorener (*σηπω*) Getränke, der beim Vertragsschmause (*contubernium*) die Krüge zerschlug. Im nüchternen Zustand wird daraus ein kluger Rechtsweiser (*σαφης*, *sapiens*), der zu Sieben die Sippe innerhalb des *σεπος* (*septum*) vertritt und die Heiligkeit (*σεβας*) des Rechtsschildes wahrt.

IV.

Das chinesische I-king.

Es ist mehr als ein zufälliges Zusammentreffen, dass die mit *'s* anlautenden chinesischen Wortbildungen, die der Cultur des Südens (*'sen*, auch Schlange) angehören, eine merkwürdige Uebereinstimmung mit äg. *set* und *seb* zeigen: so *'sang* Nebel und Opfer böser Geister, *'se* Grünes, unterwürfig, Sprache, Mehrheit, *'su* Säugling, *'sin* Mensch, schwanger, Korn, *'suen* Bauer, *'sun* Schild, *'sung* Streit, *'sao* Seide wickeln, *'seu* weben u. s. w. So auffallend es auch scheinen mag, so sicher wird es durch eine Menge unwiderlegbarer Thatsachen bezeugt, dass gerade die Steuerpflicht der geringen Leute es war, welche die Zinsberechtigten darauf brachte, dem gesprochenen Wort durch ein sinnliches Zeichen in jedem Augenblick sichtbaren und Jedermann verständlichen Bestand zu verleihen. In gewissem Betracht gingen die Zahlzeichen den Schriftzeichen voraus, da dem menschlichen Eigennutz von jeher weit mehr darum zu thun war, sich in den richtigen Besitz seiner Werthforderungen zu setzen, als anderweitige Mittheilungen, für die sich im Nothfall symbolische Abfertigungen verabreden liessen, schriftlich abzufassen. Man mag über Max Müller's Aufstellung*), bis auf die *Sûtra* herab sei die Schrift in Indien unbekannt

*) M. Müller, A History of ancient Sanscrit Literature 500.

gewesen, da sich in der gesammten Bramanischen Literatur auch nicht eine Spur einer Schreibkunst finde, urtheilen, wie man will: den Einwendungen von Böhtlingk, Benfey, Goldstücker und Anderen geht jede positive Beweiskraft ab, und allein das weite Feld von Vermuthungen behält sein Recht. Sakuntala's Lotusblatt, so zart wie Papageienbrust, liess sich mit den Nägeln schon in ältester Zeit bekratzen, und da, wo kein Lotus oder Papyrus zu Gebote stand, bot sich kräftigen Händen die derbere Birkenrinde von selbst dar; sicher beglaubigt ist für das südliche Asien kaum mehr, als dass auf Bali in den Tempelbibliotheken viele in der *Kawi*-Sprache abgefasste Schriften aufbewahrt wurden, theils in Form von Bündeln, zu denen man einzelne Palmblätter vereinigte, nachdem man mit einer scharfen Nadel von links nach rechts das zu Ueberliefernde eingeritzt, theils mit einem Rohrstift auf Palmblätter und Baumwollenpapier geschrieben und das Geschriebene in Pakete geschnürt. Auch darüber kann kein Zweifel sein, dass der Handwerkerstand der *Sûtras* ohne Schrift, wenn es vor der Hand auch nur Zahlenschrift war, nicht auskommen konnte. Lepsius findet die grösste Aehnlichkeit zwischen dem indischen und aramäischen Alphabet, A. Weber weist die Identität des *Devanagari-Sanskrit* mit dem Phönizischen nach; allein so richtig das auch sein mag, mehr als die dringende Aufforderung, die Spuren der Schrifterfindung weiter zurück, namentlich bis zu den Ursprüngen des geschichtlichen Lebens bei Aegyptern und Chinesen, zu verfolgen, ist damit nicht erreicht. Auch in der Beziehung ist die Solidarität der national gefärbten Vernunftthätigkeiten eine ganz andere, als die gelehrteste Vermuthung, die nirgends festen Boden unter sich hat, gewöhnlich annimmt, ein sicheres Ergebniss aber nur dann zu erlangen, wenn man die chinesische Schrift in die rechte Perspektive zu stellen im Stande ist.

Die chinesischen Gelehrten berichten mit einer Zuversicht, die nichts zu wünschen übrig lässt und ihre beste Beglaubigung in der Gesetzmässigkeit des menschlichen Denkens findet, in der Urzeit ihres Volkes habe man sich zum Schreiben der Knotenschlingen bedient, und zwar anfänglich zur Ueberbringung königlicher Befehle. Die Rolle, welche die Peitsche als obrigkeitliches Zuchtinstrument, namentlich bei den gerichtlichen Ceremonien der Freilassung, spielt, kann der Knotenschrift unmöglich fremd sein. Unter dem Namen *Quippus**) fanden sich bei Peruanern, Azteken und selbst Canadiern ähnliche Knotenstränge, die von China aus dahin wenigstens gelangt sein könnten, da noch im J. 1831 eine japanesische Junke an die amerikanische Westküste verschlagen wurde und die Anwohner von *Uruguay* und von *Paraná* von jeher für Chinesen galten. In *S. Francisco* ist eben jetzt eine chinesische Bevölkerung ähnlichen Schlags im Entstehen begriffen. Dass man sich in den von *Guadscha Trudo* zerstörten Culturstaaten der afrikanischen Sklavenküste gleichfalls geknoteter Strohstriemen bediente, haben neuere Reisende nachgewiesen, so dass es ganz in der Ordnung ist, zur Aufklärung der wichtigen Thatsache sich an das, nichts weniger als unempfindliche, geschichtliche Bewusstsein der Chinesen zu wenden. Ihrer einheimischen Sage zufolge stiegen hundert Familien am mittleren *Hoango ho* aus den Gebirgen hernieder, um die Ebene nach der Kuh- oder Kopfzahl (ק = 100) auszunutzen. Erklärer des *I-king* versichern, dem Kaiser des gelben Flusses (*Hoangho*) habe das Drachenpferd (*long-ma*) eine Karte mit

---

*) In einer schriftlichen Aufzeichnung der Madrider Bibliothek, die von *Morales* herrührt, wird über die „*Quipos*" berichtet: *que son unos cordeles de lana de varias colores y en ellos muchos ñudos, que por la diferencia conocen, y saben las quantitades de lo que entrò, y saliò en la caja, e los pesos de oro e plata, que se han dado e pagado, e rescibido. Este genero de cuentà los Españoles no han podido apreender, y solo se està à su buena fee, y credito, mediante unos Indios de confianza de aquellos pueblos, que les nombran Quypo camayos.*

hellen und dunkeln Punkten überreicht, während Andere dem *Fo-hi* oder *Pao-hi*, als angeblichem Begründer der chinesischen Dynastie, die Autorschaft der Karte vindiciren, mit allen den Nebenumständen, welche die geschichtliche Symbolik zu Hilfe ruft, um sich bei der Menge Glauben zu verschaffen. Der Sinn der Sage erschliesst sich sozusagen von selbst, wenn man in Betracht zieht, dass chines. *ho* Sonne und Weizen bedeutet, übereinstimmend mit *πυρ* und *πυρος**), wogegen *hoang* (*hwang*) offenbar dasselbe Wort ist mit chines. *wang* und unsrer Wange (Wangenheim), womit eine Begrenzung des flüssigen Elements und ausserdem die Herrschaft über das Wasser ausgedrückt werden soll. Die Identität von *hoang* und *wang* wird zur Gewissheit dadurch, dass der *Hoang-ho* sich in das *Wang-hai* oder gelbe Meer ergiesst; den Schwerpunkt der etymologischen Ableitung hat man jedoch in der sprachlichen und culturgeschichtlichen Gleichheit von *hwang* (*wang*) mit dem indischen Ganges (dem Welthüter *Gangâ*) zu suchen. Ursprung, Lauf und Höhe des Wasserspiegels zeigen bei beiden Strömen eine ganz auffallende Uebereinstimmung, so auffallend, dass man annehmen muss, die Einwanderer, die vom Kulkungebirge in das Tiefland des Hoang-ho niederstiegen, haben Kenntniss vom Gangesthale gehabt. Wie sich chines. *gan* zum Ganges verhalte, wurde oben gezeigt, und es bedarf nur noch der Bemerkung, dass die Anhäufung des Schlammes für die Uferbewohner des Hoang-ho genau dieselben Folgen hatte, wie für die Anwohner des Nils und des Ganges. Das Zeitalter der Pfahlbauten und Dammverschlüsse hat offenbar in diesen drei Stromgebieten seinen Höhepunkt erreicht: es ist das sonnenhelle. und wasserleuchtende (chines. *ho*) Zeitalter, im Gegensatz zu chines. *tu*, der dunkeln und

---

*) *Bersin*, das heilige Feuer der Parsen, enthält auch die Hauptsylbe von Berlin; während jedoch *sin* auf chines. *sse* zurückgeführt werden muss, verräth *lin* Leinleute.

schmutzigen (turanischen) Erdfarbe. Insofern ist es sehr erklärlich, warum die Drachen-Karte bald helle, bald dunkle Punkte aufweist, die sich ohne Mühe auf ganze und halbe Zahlenwerthe übertragen lassen; das Ganze ist ein durch Strangknoten veranschaulichtes System der Dekadik, so zwar dass die ungraden Zahlen durch helle, die graden durch dunkle Punkte ausgedrückt und derartig gruppirt wurden, dass Addition und Subtraction sich bequem bewerkstelligen und aus den arithmetischen Einheiten geometrische Figuren bilden liessen. Heisst es nun, die Karte sei aus der Pflanze *ši* bereitet gewesen, so wird man an Hirsenhalme zu denken haben, welche in der Urzeit den Dienst von Strohsträngen leisteten und vermuthlich auch die frühesten Bastschuhe lieferten, denn chines. *schü* ist der deutsche Schuh. Der *ἀβαξ* oder *abacus*, der mitten in die Pythagoräische Zahlenlehre hineinreicht, bedeutete zuerst nichts anderes als A. B. C. (*ἀ. β. κ.*), da den Zahlzeichen bald auch Ideen- und Buchstabenwerthe unterlegt werden konnten.

Demnach war es nicht die Vermessung des Bodens allein, die in den Strichen und Punkten der Karte ihren Ausdruck fand, sondern gleichzeitig die Festsetzung der an jedem Bodenantheil haftenden Steuerquote. Das Drachenpferd, als Inbegriff der bewaffneten Macht zu militärisch-polizeilichen Zwecken, hatte im Namen und Auftrag der executiven Fürstengewalt über diese Grundlagen der bürgerlichen Ordnung und namentlich auch darüber zu wachen, dass die bei Handel und Wandel mittels der Knoten eingegangenen Verbindlichkeiten redlich und rechtzeitig erfüllt würden. Der Drache, sprachlich zu *δραω* und *τρεχω*, drei und treiben gehörig, der *apep* der alten Aegypter, blieb seitdem in China Symbol der kaiserlichen Executive, wofür anderwärts der Greif gebraucht wurde, von dem die Greifer- oder Grafengewalt, das Fahe- und Fangrecht des *βασιλευς* und seiner berittenen *ἀργοι* (Arge, Argiver) stammt. Dass unter dem Bilde des Drachen nichts anders verstanden werden kann, wird am hebr. תַּן: Drache, eigentlich Tanne, *thane,* Than, Greif, Graf ersichtlich, denn דִּין bedeutet zugleich Rechtsstreit und Gewicht, wie das deutsche *„ding“*. Die Auszeichnung der vollstreckenden Drachen bestand in ihren Rossschweifen, d. h. in den Schwänzen ihrer schnellfüssigen Pferde, und weiterhin in eben den Strängebündeln, welche der Kaiser ihnen zur Ueberbringung und Vollziehung seiner Befehle, darum auch zum Einfangen und Binden von Uebertretern des Gesetzes, anvertraut hatte, wozu den altfränkischen Grafen der *„reibus“* diente. Ueberführte Missethäter bekamen die Stränge als Tatarenpeitsche und neunschwänzige Katze zu schmecken. Beweise dafür finden sich in Menge auch in der ägyptischen und persisch-assyrischen Mythologie, von denen jene den *Thoth,* diese den *Nabu* zu Erfindern der Schrift macht. Beiden lag das Geschäft des Steuereintreibens ob, und hiezu bedurften sie der schriftlichen Aufzeichnung, im Interesse sowohl des königlichen Schatzes, als der Steuerpflichtigen. *Thoth,* unser Tod, für den kein Kraut gewachsen ist, weil er unbarmherzig an sich reisst, was ihm verfiel, ist das personifizirte *tet* oder Einziehen (äg. *tot* Hand), der Schreiber der Götter und mit den acht Lichtstrahlen ausgestattet, welche die Echten und Echterdinger kennzeichnen. *Thoth* ist der eigentliche Bauernkönig, Herr über eine zehntbare Gesammtheit, die „Dutte“ oder „Düte“ (Brust, *catal. dida* Amme = *Dido*), דוד umfangen, minnen, דוד Dotter, Liebe, דוד Korb, דוֹדָה Tante, Dode, Gode, דוה Döde (Geliebter), alle diese Ausdrücke sich anschliessend an die Namen *Daud, Titus* (goth. *thiudans,* fränk. *theoda,* ostgoth. *duda,* langob. *duddo*), *Dodona* u. s. w. Im Assyrischen bedeutet *du* erlangen, im Scythischen *dudu* fortziehen. Wer Alles von sich geben, „vorschiessen“ (*τιθημι*) muss, der erleidet den Tod. Mit den Steuerrollen in der Hand ist

Thoth Gebieter über den *Nebs* (Nubien) und trägt als Symbol seines Besteuerungsrechts oder als Zöllnerzeichen den ab- und zunehmenden Mond auf dem Kopfe. Im Euphrat- und Tigristhale wurde der äg. *Thoth* unter dem Namen *Tauth* (תְּהוֹת) verehrt, und zwar als weibliches Princip und mütterlicher Abgrund aller Creaturen. Seltsam genug klingt es, dass die nordgermanischen Sprachen, der Lautähnlichkeit nach vor allen andern die englische, in *toad* Kröte (*ags. tâdie, dän. tudse, schw. tossa*) die Erinnerung an den ältesten „Tod", die unmittelbar an die „Frösche" im angegebenen Sinne streift, bewahrt haben; und dass das Credo der Kröte, wie der Grete, das Bauerndogma war, ist theils an isl. *tod* (Mist), theils an engl. *toadeating* ersichtlich. *Tátos,* das Zauberross der ungarischen Mährchenwelt, besitzt eine nahe damit verwandte Zugkraft.

Die gleiche Bewandtniss hat es mit dem assyrischen *Nabu,* den die Aegypter als *Nebu,* zutreffender als Sonnentochter *Nbun* oder *Nuban,* verehrten, durch ihre Abstammung abermals eine Mondgöttin anzeigend, denn die Sonne (*ra*) selbst nimmt weder zu noch ab, und macht ihre Verehrer steuerfrei. Dabei ist es bemerkenswerth, dass der persische *Nabu* bei den Babyloniern *Anpa* ausgesprochen wurde, in merkwürdiger Uebereinstimmung mit dem ägyptischen *Nebu,* der zugleich den Namen *Anubis* führte, wie *Nephthys* den Namen *Anuke.* Das anlautende a ist durchgehends ein *ἀ privativum.* Auf einem Thronsessel Sardanapal's erscheint er als Erfinder der Keilschrift, woraus sich ergibt, dass der נָבִיא gleicher Weise als Dolmetscher allerhöchster Befehle und Rechtsansprüche aufgefasst werden muss und dafür zu sorgen hat, dass der Gott Israels von seinen Verehrern empfange, was ihm gebührt. Auf assyrischen Thontafeln thront Nabu neben der Göttin *Tasmit,* deren Name Mitentaxe (taxans mitium), eine Eintreiberin des fränkischen Mitiums, ausdrückt. In Babylon und Ninive hiess des Nabu's

Wohnung *Bitzida:* Thurm, pars. *bâstân,* ital. *bastone* Stütze, franz. *bâtiment;* צֵידָה Fremdenherberge = צ oder צָדֵי, *ζητα,* der Ziehbuchstabe, der den Zahlenwerth von 90 und 7 hat. *Bitzida* ist Zehnthaus, wie *Birsnimrud* Nimrud's Börse (*bursa*), denn im Scythischen werden durch *niman* und *numan*, wie im Parsischen durch *taumâ*, zinspflichtige Leute ausgedrückt: „Nomaden“ (רוד Roder, Rader, Herumstreicher, Wechselbauer), von denen genommen wird. In solchen Thürmen hausten die „Bastiane“ mit ihren Bogen und Pfeilen, die so häufig auf den Denkmälern kämpfend dargestellt sind, keineswegs blos auf den assyrischen, sondern in merkwürdiger Uebereinstimmung auch auf den Grabfragmenten von Tarragona. *Bitzida* voran stellen die Denkmäler häufig *Saggatu*: die Pyramide (זַג Hülse, שָׂגָא keimen, *seges*), von der angenommen werden darf, dass sie den Gabentempel Bel's, des Vaters der oberen Götter, vorstellte und als Kornspeicher und Malzdarre diente. Bel's Sohn Ninip bezeichnet einen Niniviten (Nipper). Wie schon ihr Name anzeigt, dienten die ägyptischen Pyramiden in der ältesten Zeit zu denselben Zwecken: *πυρος-ἀμις* Weizengefäss, worin theils die aufgeschütteten, theils die beim Malzprocess keimenden Getreidekörner wie ein „Ameisenhaufe“ wimmelten. Die Sitte, vornehme Leute in Pyramiden beizusetzen, deutete durch den Verjüngungsprocess der Pflanzenwelt auf die Unsterblichkeit der Todten. *Ἄμμα* — im Namen Hamm, Hambach enthalten und gleichbedeutend mit Hamen — war zugleich das normale Längenmass solcher Zehntspeicher, nämlich 40 Ellen im Gevierte, und erhielt sich bei den Germanen als Normalmass der einfachen Bauernhufe, bei den Langobarden zugleich als Wergeld des Bauers*) (40 Schillinge).

Den Beinamen *banû* führte Bel als Bannmeister des Flurbanns und Bannerherr seiner Bauern; man schrieb ihn

---

*) *Helfferich*, Erbacker II, 142.

deshalb ideographisch *deus dominus abyssi*, d. h. des Silo, als welcher er sich auch im *Dagon* zu erkennen gibt, da דָּג (Aal) in der verlängerten Form דָּגָן Halmfrucht (Degen), folglich Bauernwirthschaft bedeutet, deren Gemeinsamkeit die Bezeichnung *'Απασων* (richtiger *'Απασῶν* von ἅπας) die Damascius dem Bel gibt, unschwer errathen lässt. Die Identität von *b* und *f* gerade nach der Seite tritt in keiner Sprache so klar zu Tage, wie im Magyarischen: *fa* Holz (*fagus, baculum*), *fal* Wand, *föld* Erde (Gefild), *fül* Ohr, *falú* Dorf (Sitz der Pfahlbürger, Falatti), *făj* Brut, *fi* männlich (engl. *be*), *fiu* Sohn, *fark* Schwanz (engl. *fork*), *fazék* Topf, *fejsze* Beil, *fék* Zügel, *fele* Hälfte (Fehl, Fehler), *félelem* Furcht, *felhö* Wolke, *fésü* Kamm, *fészek* Nest, *fogó* Feuerzange, *folt* Fleck (Falte?), *fonál* Faden, *forgáts* Schatten (vergessen?), *fulánk* Stachel, *füró* Bohrer (*forceps*), *fü* Gras, *füst* Rauch (*fustis*?), *füzö* Schlinge. Auf allen den Ausdrücken lastet *Bel's* Bann. Zu allen Zeiten und bei allen Völkern stand der Tod im Verdacht, der grösste und unbarmherzigste Räuber zu sein; Grund genug, warum die Aegypter ihrem Gott den Ibis und Affen zugesellten, mit dem Recht von Odin's Raben, um ohne Umstände mit Gewalt zu nehmen, was man ihnen nicht gutwillig gab, zugleich aber um das die gesellschaftliche Ordnung belästigende Ungeziefer unschädlich zu machen. Die vielen Vögel auf den Hieroglyphen, wie überhaupt in den Mythologien, waren als Schnabel- und Krallenthiere ein Gegenstand zugleich der Verehrung und der Furcht. Den indischen Staar (*Acridotheres*) nannte man *Minos* oder *Meinas*, weil er sich in Städten und Dörfern, wie unsere Sperlinge, scharenweise zusammenfindet, gleichsam als ein Verein von Mitengenossen (*Meni*: babylonische Venus, Minne) und darum dem Ram oder Bauerngotte geheiligt ist, demselben *Ra*, der neben Neith und Ptah dem steuerpflichtigen Unterägypten vorstand. Die stark entwickelten Zehen der Raubvögel (Falken, Geier,

Eulen) eignen sich bestens zum Greiferdienste, weshalb die Fänge des Jagdfalken in der Jägersprache Hände heissen und schon im Dienste des ägyptischen *Menes* (*Manus*) standen. Den Thurmfalken benannten die Griechen *κιρκος* (*κιρκη*), Kirchenvogel, von den Kreisen (*κιρκος*, *κιρκοω* umwickeln, festbinden, wie Circe es dem Odysseus anthat), die er um sein Nest im Fluge beschreibt, so dass man allen Grund hat, den Kolkraben für gleichbedeutend zu halten mit Korkrabe (*κιρκος*), nach dem Beispiel von *ἑρκος* und *ἑλκω*.

Unter den Steuerpflichtigen stehen in erster Reihe die Staare (*sturnus*), aus dem sehr einfachen Grund, weil Staar und Steuer etymologisch den gleichen Ursprung haben. Der Staar als Strahl und Saturn's Diener „steuert" von dem, was er im Leibe hat, reichlich. Wie Thoth, der Schreiber der Götter, heisst der nach Ibisart mit einer Haube oder Dienstauszeichnung geschmückte Kranichgeier von Alters her Secretär, in Westsudan Ross des Teufels, in Nordafrika Schicksalsvogel — Benennungen, die zu der Berufsthätigkeit der Quästoren und Grafen, denen kein Tributpflichtiger sich zu entziehen vermag, bestens passen. Da ist es nun von besonderer Erheblichkeit, dass *Ibis* mit goth. *ibus* (flach) zusammentrifft und einen Bewohner der Ebene oder des Flachlandes (*πεδεινος*) ausdrückt; Leute dieses Schlags aber sind von der Sorte des *Iblis* (*ib-las*), jenes bösen Geistes der mohammedanischen Sage, der bei den Angelsachsen in der Gestalt von *yfel viht* erscheint und allem Uebel (goth. *ubils*) zu Grunde liegt. Was am Ibis übel ist, das zeigt die Hieroglyphe, die ihn auf ⌐ (Richtmass) stellt, um den Zehntenmesser Thoth, dem ein Pflichtiger so wenig entgeht, als dem leibhaften Tode, damit anzuzeigen. So kam es, dass der lauernde, stets nach Beute lüsterne Schakal, der Vorgänger des wachsamen Hundes, in Aegypten zur Würde eines Schreibers gelangte. Es ist *Horus* damit gemeint, wenn äg. *hor* als Sperber mit der Geissel erscheint. Die häufig an

Wahnsinn grenzende Leidenschaft der Falkenjagd, die bei der hohen, auf die Zehnten erpichten Geistlichkeit der christlichen Kirche so weit ging, dass die Concilien einschreiten mussten und den Baronen allein gestatteten, während des Gottesdienstes ihre Falken auf den Altar zu setzen, floss aus der menschlichen Gier, von den Erträgnissen fremder Arbeit zu leben. Der Sperber, der an Grausamkeit von keinem befiederten Räuber übertroffen wird, steht noch bei den heutigen Asiaten im höchsten Ansehen; der Pharaonenhahn, *vulgo* Schmutz- und Aasgeier (*racham: ῥαχιζων*, Rächer, Recker; רָקָם Todtenbegräber, auch *Alimosch* geheissen von אֲלֻמָּה Garbe) ist Odin's Kolkrabe, der Ungeziefer und Unrath aufzehrt, nach der Angabe der Alten besonders Mäuse, und dadurch für eine reiche Getreideernte arbeitet. Dasselbe gilt von dem Mönchsgeier, und dass man auch in der neuen Welt die Fressgier der Geier zu schätzen weiss, bezeugt die harte Strafe, die in Amerika auf das Tödten des *Urubu* und *Gallinazo* gesetzt ist. Wie der Wiedehopf nährt sich der Aasgeier von denselben Auswurfstoffen, die den Ackerboden fruchtbar machen: *γυψ* (Geier), *γυψος* (Gyps), den schon die Alten als Dünger benutzt zu haben scheinen, wenigstens in dem gypsfarbigen Schlamme. Die Liebe der verhältnissmässig raubgierigsten Vögel zu ihren Jungen, die fressgierig, wie sie von Natur geschaffen sind, fortwährend den Mund nach Atzung aufsperren, erklärt es, dass die alten Aegypter den Geier zum Vorbild der Mutter und ihrer Kinderliebe (*mai, mei* lieben) nahmen. Die Identität von Pharaonenhahn und Phönix aber erhellt aus dem (äg.) Namen des letzteren: *rôhi*, gebildet aus *rô* Mund und verwandt mit *rôme* Mann (Bewohner von Rum und Rom). Zuverlässig kommt es auf dasselbe hinaus, wenn das assyrisch-scythische Vogelzeichen den Sinn von Hilfe, Unterstützung hat, ganz im Geiste von Athene's Eule (*Athene noctua*, Steinkauz), die im nördlichen Griechenland denselben Dienst leistete, wie der Mönchsgeier unter südlicheren Himmelsstrichen. „Die zahmen Käuzchen“, berichtet der ausgezeichnete Ornitholog Lenz, „sind wirkliche Hausfreunde der Italiener, gehen oft frei in Haus, Hof und Garten mit beschnittenen Flügeln herum, fangen überall Mäuse, werden besonders gern in gut umzäunte Gärten gesetzt, woselbst sie die Erdschnecken und anderes lästiges Ungeziefer vertilgen, ohne ihrerseits den geringsten Schaden zu thun.“ Warum die Athener als Hasen oder Hessen die Eule so hoch in Ehren hielten, bedarf keiner weiteren Erklärung, wenn man die seltene Wachsamkeit hinzunimmt, welche diesem Vogel angeboren ist.*)

Unter den Sperbern ist der merkwürdigste der Schlangensperber (*polyboroides typicus*), ein naher Verwandter des Singhabichts und wie dieser Bewohner von Afrika. Die Flügel des Vielfrasses sind im Verhältniss zum Leibe, namentlich dem ungewöhnlich kleinen Kopf, ganz ungeheuer entwickelt, und wird ihm ausserdem eine unter den Vögeln unerreichte Gelenkigkeit der Fänge nachgerühmt, da die Fusswurzel in ihrem Fersengelenke nicht blos nach vorn, sondern auch nach hinten beweglich ist und mittels der kurzen Zehen selbst aus den engsten Erdspalten Mäuse, Eidechsen u. s. w. hervorzuziehen vermag. Nicht blos der alljährlich wiederkehrenden Schlammfluthen wegen war von jeher das Vögelgeschlecht für Aegypten eine unaussprechliche Wohlthat: auf der ganzen Erde gibt es keinen Streifen Landes, der während der Zugzeit der Vögel von diesen in demselben Masse heimgesucht wäre, wie das Nilthal, daher die Sage, dass in *Jebel e Tayr* (Vogelsberg) und *Siut* die Zugvögel in jedem Jahr zu bestimmter Zeit sich versammelten

---

*) Das Sprichwort „Eulen nach Athen tragen“ erläutert sich selbst durch engl. *owl* (*ags. ûle*) und *awl* (*ags. æl*), weil die Eule und Ahle (Ellenlanze) in der Asin Athene unzertrennlich mit einander verbunden sind, wie *γλαυξ* und *κλαω* (*κλαιω*).

und, nachdem sie einen gewählt, der bis zum nächsten Jahr hier bleiben müsse, in das innere Afrika flögen.

Das Alles ist dem Drachencult nicht fremd. Die Furcht vor den Drachen, als Polizeimannschaften, hatte ihre sehr bewegliche Ursache in dem Berittensein der Drachen; nur darf man nicht glauben, dass sie sich zum Reiten blos der Pferde bedienten, auch Kamele, Stiere, selbst Girafen beflügelten ihre drohenden Schritte. Der ägyptische *Serapis*, der hebräische *Seraph*, die arabische *Serahfe* (Girafe), der mittelalterliche *Seraphim* gehören allzumal zur Familie jener colossalen Flügelthiere, welche regelmässig auf den assyrischen Steinplatten Wache halten. Man wird wohl thun, den gemeinschaftlich mit dem Pferde unter einem eigenen demotischen Bestimmungszeichen stehenden Stier *ah* oder *aha* für ein Reitthier zu halten, wogegen der *siw*, der das Gattungsmerkmal mit dem Hund, Wolf und Krokodil gemein hat, dem Weidevieh der Steirer beizuzählen ist. Ihre Stiernatur thut der Name *Serapis* (זֶרַע), Saat- oder Besämungsapis, kund, dem man nachrühmte, er sei *coelesti igne conceptus*, wegen des niemals rastenden Feuereifers, den er mit dem Flammenschwerte (Oriflamme) bei der Bewachung des Zugangs zum Pfluglande bewies. Im Semitischen lässt die Verwandtschaft von פַּר (Farre) mit פֶּרֶד (Pferd, Maulthier; פִּרְדָּה πυρος, Baruth, Beirut) vermuthen, dass bereits die Israeliten sich verschiedener Reitthiere bedienten, während das römische *aes pararium* ausschliesslich auf Pferde- oder Paradesold bezogen werden muss. Aus Syrien war, in Gemeinschaft der *Dea Syra*, nach Italien der *Jupiter Dolichenus* eingewandert, der auf einem ausschreitenden Thiere stand. Die Hauptaufgabe der berittenen Drachen war das *δρασσομαι*: Festnehmen der Uebelthäter, denn Drache will überhaupt nichts anderes besagen, als Stränge oder Striemen, womit getrieben, Mensch und Vieh in Bewegung gesetzt werden. Wenn ich den chinesischen Ausdruck für Drache:

lung mit unsrer „Lunge“ zusammenstelle, so liegt, abgesehen von der Lautähnlichkeit, einiges Recht dazu in den unermüdlich sich füllenden und entleerenden Lungenflügeln, deren rastlose Arbeit einem aufmerksamen und diensteifrigen Vollziehungsbeamten zum Vorbild dienen konnte; der wahre Nerv des Beweises liegt aber darin, dass alle Bedeutungen, welche die Chinesen dem Worte *lung* beilegen, auf das „Lungern“ der Frösche und Kröten sich anwenden lassen. Zudem ermöglicht die Athmungsfunction der Lunge das Fliegen in der Weise raschen Reitens, dessen Folge das Finnische durch *pulma* (Verletzung: Ergreifung?) zu erkennen gibt, ohne allen Zweifel dasselbe Wort mit lat. *pulmo.* Wer sich den Sinn für das unschuldige Kinderspiel bewahrt hat, erräth auf den ersten Blick, dass die chinesischen Drachen und die im Herbste über die Stoppeln fliegenden Papierdrachen unsrer Jugend einer gemeinsamen Quelle entstammen.

Die Stränge der Drachenpeitsche liessen sich durch einmalige Knotung halbiren und je nach der begrifflichen Deutung, die man der Bruchtheilung gab, konnte man mit den ganzen und halben Grössen bei einer Anzahl Stränge schon eine Art Alfabet zuwege bringen, vollends dann, wenn die Stränge verschieden gefärbt waren. Den hellen und ganzen Strich nannte man *jang* (*jungo*), den dunkeln und gebrochenen *in*, nach Analogie von *o* (= 1) und *o—o* (= 2), die auf den Karten so verzeichnet werden. Der Grundgedanke kann darum nur derselbe sein, wie in der Pythagoräischen Lehre vom Graden und Ungraden, wonach die Zahl als grade den unbegrenzten Inhalt, als ungrade die begrenzende Form bildet, beide zusammen aber sich zur Dreiheit (2 + 1) summiren. Darauf beruht in der That der ganze Schematismus der chinesichen *Kua* oder Zeichen im *I-king*. *Kua* sind hängende und kriechende Knotenfrüchte, wie Gurken und Melonen (*κολοκυνθα* Koloquinte), den Testikeln vergleichbar, daher *kuoha* im Finnischen Hodensack (κολυθρος) bedeutet. Es muss Gebrauch gewesen sein, dass die Unterthanen von den Drachen die Angabe ihrer Steuerquoten in derlei Knotensträngen zugestellt bekamen, wohl auch auf dieselbe Weise für den bezahlten Steuerzettel Bescheinigung erhielten; wenn nun ein Unterthan beim Kaiser eine Bitte oder Beschwerde vorzubringen hatte, hielt er sich mit beiden Händen seine Stränge vors Gesicht. In lat. *lingua* ist *gua* das gesprochene *kua* oder Sylbenzeichen der *linarij*.

So entstanden die 64 (8 × 8, die Zahl der ἀκταιοι oder Echterdinger) Strang- oder Strichbilder des *I-king*: Grades, Gebrochenes, Ganzes und das Ganze verdoppelt, dadurch lässt sich die genannte Zahl Strichzeichen herstellen, ein jedes mit einer nach Analogie der einfachen Striche unterlegten Bedeutung. Aus einem so dürftigen Schatze von Vorstellungen, die alle auf das chinesische Staatsleben Bezug haben, entwickelte sich nach und nach eine abstract philosophische, darum aber keineswegs ideenreichere Lehre, wonach Jang, das ruhende und bewegende Princip, die Materie in Bewegung setzt und sich dadurch schöpferisch verhält. Ju, obwohl dichter und träger als Jang, ist wenigstens seiner Natur nach geeignet, die von der äussersten Begrenzung des Himmels beginnende Bewegung Jang's auf sich wirken, sich in Thätigkeit setzen zu lassen; es ist dies aber nur derselbe Fortschritt, den die griechische Philosophie von Pythagoras bis zu der Platonischen Lehre von der Materie und der Aristotelischen von der Bewegung machte, wie es bei den Griechen auch nicht an Beispielen dafür fehlt, dass die beiden Grundursachen, gleich dem Monde, ihre Phasen der Zunahme und der Abnahme durchzumachen hätten. „Insofern die Materie fliesse und fortschreite, heisse sie Jang," sagt ein chinesischer Philosoph, und will damit sagen, dieselbe befinde sich im Stadium des (ausschreitenden, rüstigen) Jungseins; wenn sie aufgehalten und zusammengeballt werde, aus der Expansion in die Contraction übergehe, nenne man sie Ju (*ἶνες*, *ii*, *gens*). Sie ist alsdann in sich gegangen, innerlich geworden. Fängt sie zu keimen an, so bewirkt sie den Frühling, ist sie ausgewachsen, den Sommer; nimmt sie ab, so haben wir Herbst, zuletzt Winter, wenn sie zu der äussersten Grenze ihrer Abnahme gelangt.

Sieht man dieser, oder richtiger einer jeden, Construction des natürlichen Seins tiefer auf den Grund, so entdeckt man leicht, dass unter Himmel das Gebirge, unter Jang das von den Bergen herabfliessende Wasser, unter Ju die Ansässigkeit von Uferbewohnern, die dem Stromwasser fast ausschliesslich die Fruchtbarkeit ihres Bodens verdanken, zu verstehen ist. Positives und Negatives, Ganzes und Gebrochenes, Starkes und Schwaches, Ruhe und Bewegung, Expansion und Contraction, oder wie immer die Gegensätze heissen mögen, sie alle nehmen ihren Ausgangspunkt vom Leben in der Höhe und in der Niederung, im Lichte und im Dunkel, im ungetheilten Himmelsraum und im getheilten Erdraum, wozu die Antithese von Sonne und Mond sich gesellt. Diesen durchgreifenden, alle ihre Lebensordnungen beherrschenden Gegensatz drücken die Chinesen durch *li* und *ki* aus, und nennen *li* das unkörperliche, richtiger flüssige, *ki* das körperliche und figurative Element des Festen; dass aber in *li* der wechselnde Mond wirklich enthalten ist, erhellt aus לְבָנָה (Mond), was auf den Libanon und die dort übliche Milchwirthschaft Bezug haben muss, denn לָבָן weiss sein, לְבֵנָה Ziegelstein, לִבְנֶה Weisspappel, לְבֹנָה Weihrauch, לִבְנַת Glas gehören in das Gebiet des Mondsüchtigen. Offenes Dorf und geschlossene Stadt (ass. *ki*, iber. X ᛉ *khitz* Einwohnerschaft), Linkes und Rechtes, Wandelbares und Festes, Besitz und Eigenthum sind reale Factoren, die einen erwünschten Einblick in das Triebwerk des chinesischen, wie alles Culturlebens gewähren und den Forscher bei der Musterung des Sprachschatzes, der ja nur das Echo der

Gesittung eines Volkes sein kann, niemals und nirgends im Stiche lassen.

Zunächst ist zu untersuchen, wie sich in beiden Sylben das auslautende *i* zu dem Namen *I-king* verhält, schon weil der Inhalt des merkwürdigen Buches nothwendig durch den sprechenden Vorschlagslaut gekennzeichnet sein muss. Es steht fest, dass das Chinesische kein einziges Wort besitzt, das mit einem reinen Vokal anlautet. Beiläufig war von dem chinesichen *i* bereits die Rede und wurde namentlich bemerkt, dass das an die Spitze der Wurzelzeichen gestellte *ĭ* (— Eins) höchst wahrscheinlich in der Urzeit *a* lautete, wofür sich weiter anführen lässt, dass 二 (Zwei) *urlh* eigentlich wie das engl. *r* ausgesprochen wird, somit dem *a* ganz nahe steht. Nimmt man hinzu, dass 乙 ebenfalls *ĭ* gesprochen wird und Eins bedeutet, so gewinnt die Vermuthung noch mehr an Wahrscheinlichkeit, und drängt fast mit zwingender Nothwendigkeit dahin, — als altes *la* zu lesen und die fliessende Milch (*lac*), sowie das unstete Sennerleben (*λας*, *λιτοι*, *laeti*, Laten, Leute) darunter zu verstehen. Ist dem so, würde man nicht umhinkönnen, 乙 *ki* auszusprechen: einen Zopf, wie man auf den ersten Blick sieht, stellt das Schriftzeichen vor und eben dieser in China hochgeschätzte, auch von den Männern getragene, Zopf bildet das Band, das die zünftig eingetheilten Städtebewohner unter sich verknüpft. Es ist möglich, sogar wahrscheinlich, dass das verwandte Zeichen 匚 (mit dem Griffe ㄱ *kĭ* selbst), das, gegenwärtig kaum noch im Gebrauch, verhüllen bedeutet, dem lat. *nubere* und der davon abhängigen ordnungsmässigen Ehe entspricht. Mit *nubere* kann nur eine Junonische (Iranische) Heirat darum gemeint sein, weil im Chinesischen *jun* Wolke (*nubes*) heisst. Jedenfalls steht das arab. ع (*'g*, demot. Flüssigkeit in einem Gefässe) dem 乙 so nahe, dass an ihrer ursprünglichen Identität, die zugleich die Identität von *g* und *k* ist, nicht gezweifelt werden kann.

Auch der Umstand darf nicht verschwiegen werden, dass dem *kew* oder die wirkende Eigenschaft des Princips *jang* in der Neunzahl subordinirt wurde. Drückt *i* unter Gestalt von — die individuelle Einheit aus, so die generelle, d. h. die Gemeinschaft von Zöpfen, nach dem älteren Zahlensystem 2 und, durch das Zeichen der Fussbewegung ( ) bereichert, die gewöhnliche 9 (*kieu*). Weder das (*sse* 6, zugleich Zeichen für festhalten) des Duodenars, noch das (*ki* 6) des alten Denars können der generellen Einheit des fremd sein, und da im Assyrischen *sat* und *mat* sich beliebig vertauschen lassen, so ist man wohl berechtigt, (chines.) (□ Mund, Verschluss) mit (griech.) *μ* (40), wie wir gesehen haben, Normalzahl der Friedenshand, zusammen zu stellen. Man kann nicht anders, als eine Bestätigung der Ansicht in dem Umstand erblicken, dass das Zeichen , das *pa* gesprochen wird, einen Grossmauligen anzeigt, d. h. einen angesehenen Mund, auf den die Mundbaren zu horchen verpflichtet und genöthigt sind. Es ist der *papa* (chines. *pa* Kruste), der eine solche Sprache zu führen das Recht hat. Chines. *mi* enthält die Bedeutungen von Reis, Hirsch, kostbarer Bogen, und passt mit allen seinen Merkmalen zu *ki*. Treffend wurde von W. Schott bemerkt, chines. *sse* entspreche der deutschen Vorschlagssylbe „*vor*“ oder „*für*“, die ihrerseits von *forum* (*fara*) abstammt und eine Vorderstellung enthält. Die Hebräer nannten es מוּל (vor), und knüpften daran die Pflicht der Beschneidung, die in מוֹלֶדֶת und *mulus*, aber auch in *mulier*, *mulsum*, *multa*, *multum*, *mulvius*, *moles*, *mollis*, *molo* die Verwandtschaft mit Müller und Mohl zu erkennen gibt. Nur das Mehl macht rein.

Der *King* dieses doppelten *i* ist das *I-king*: Richtschnur, Leitfaden des *i*, denn so oft *king* in den classischen Schriften der Chinesen wiederkehrt, jedesmal bildet die Grundanschauung die abgemessene Bodenstrecke von hundert chinesischen Morgen, über die ein *king* (engl. *king*) mit der eschenen Keule, somit als Vertreter der gesetzlichen Ordnung und mit dem Recht der Steuereinforderung, waltet. Damit ist aber das Wesen des *i* noch nicht erschöpft: dasselbe heisst Ursächlichkeit und zugleich Bekleidung, weil es, um zu wirken, sich gleichsam entkleiden und ankleiden, Wandlungen erfahren muss, wie sie in noch weit höherem Grade das treibende Agens der indischen Götterlehre bilden. Darum nennt sich das *I-king* „Buch der Wandlungen" oder Entwickelungsphasen (*liber mutationum*): in Folge des Scenenwechsels zeigen sich eine nach der andern Neugeburten, ächte *ombres chinoises*, nach Art der Verwandlungen *Wischnu's*. Denn die beiden Hauptgestalten, die sich unausgesetzt umkleiden, sind ja die beiden *i*, die schon in der Zeichenschrift als Siwa (△) und Wischnu (▽) sich zu erkennen geben. Der Process ist ganz derselbe, wie bei den Gangesbewohnern, nur weit nüchterner, einfacher, prosaischer, dafür aber auch nicht durch eine üppige und ungeregelte Phantasie oft ins Ungeheuerliche verzerrt. Der Grund, warum die Aegypter den *Thoth*, die Assyrer den *Nabu* zu Erfindern der Schrift machten, wird wohl die Chinesen veranlasst haben, ihrem *Fohi* die gleiche Ehre zu erweisen. *Fo* ist die bewegliche Hirten- und Bauernwirthschaft, als *fúh* (im Cantondialekt *fat*) dasselbe was Pfad, *vadere*, *vas*, *ags. voden*, engl. *food; hi* dagegen meint die Bedachung oder den Verschluss der städtischen Bevölkerungen. Weiterhin leuchtet ein, dass *fo* dasselbe ist was *fu* (Vater) und *pa* (Vormund), und da der chinesische *Fo* dem indischen *Buddha* (engl. *food* und lat. *dans* = Brotgeber) entspricht, so wird man dem Buddhismus die Erfindung, wenigstens Einführung, der Schrift in China zuzuschreiben haben, damit zugleich des Mittels, geschichtliche Erinnerungen im Bewusstsein der Menschen festzuhalten. *Fu* erlangte auf diese Weise den Sinn von „weiland" (d. h. dem

„Weilenden", trotz des Zeitlaufs künstlich Aufgehaltenen), was in lat. *fui* so gewiss enthalten ist, als in ital. *fu* und franz. *feu.* Mit dem Zeichen unter *fu* entsteht der Begriff *papa.* Die Redensart: „im Gesange fortleben" stösst im Chinesischen, wo *çang* weiland und Saitenklang bedeutet, auf eine ähnliche Analogie. „Singen" hat zum Stamme *sing,* wovon 100 *singuli* eine Volksabtheilung ausmachen. Des *Fohi* Mutter nannte man *Hoă-siu*: *hoă* bedeutet Wandelbarkeit, Frühlingsgrün, Wasser, Spaten, Mahlen, gekrümmtes Horn, Fusshaken, *si* dagegen lässt sich, so viel oder so wenig Lautelemente ihm angehängt werden, ohne alle Mühe auf *Siwa*, seinen Cult und seine Rechtsordnung zurückführen. Alles *si* kommt aus Westen in Begleitung von gemahlenem Reis und in Zehnerschaften (*siun*), die ein gemeinsames „Zion" (*siun* = Thun) haben, auf dessen Höhe dem Gotte Opfer (*siu*) dargebracht und alle zehn Tage die Rechtsstreitigkeiten abgemacht werden.

Eine erschöpfende Erklärung von *li* und *ki*, womit die Geheimnisse des *I-king* sich aufschliessen lassen, ergibt sich aus dem Bisherigen gewissermassen von selbst. Die allbekannte Thatsache, dass *l* unzählige mal mit *n* verwechselt wird, so dass *luna* nicht allein die Wurzel mit *nutare* gemein hat, sondern in den amerikanischen Indianer-Sprachen wirklich als *nuna* ausgesprochen wird, erhebt es zur Gewissheit, dass dem *li* nur kleine und geringe Leute sich unterordnen lassen. So gut als *n* ist *l* der Laut der Unstätigkeit und Negation: לְ Ortsbewegung, לֹא nicht, לָאָה lass werden, לָאֵב lechzen, לוֹב Wüstenei (*lupa*, *laeva*, Libyen), לוֹג hohl sein (lügen), לוֹעַ schlucken, לוֹשׁ lecken u. s. w. verrathen deutlich den armen Lazarus, der das Seinige in das לֶתֶךְ (Getreidemass) zu lassen hat. Wie *lingua* die Sprache der Lecker, so ist לָשׁוֹן und לָשֹׁן Zunge und Sprache der Lischinge oder Milchleute (Lutrinker, *lac*, לַח nass, Lache), die sich von finn. *litu* (Schote), *laukka* (Lauch) und *lauha* (Schmiele, wovon Lauenburg), *lanttu* Kohlrübe, überhaupt vom Laubsammeln (finn. *lehdin*, *lato* Heustadel), ernähren. Es sind Meierleute: finn. *lampo* (Lampe der Hase oder Hesse), ihr Schutzgeist der finnische *Lempo* (Lempp), Kalewa's arger Sohn und Oberster der Lumpe: finn. *lumpio* Wirtel, der auf der wilden Worthe tanzt (finn. *luikka* Zugwind). Wie es um *Lempo's* Treiben bestellt ist, offenbart der finnische Laubgott *Lemmes*, von dem nicht blos der *Lemming*, sondern auch der Lemmergeier (Bartgeier) stammt, da kein Vogelkundiger an den dem letzteren zur Last gelegten Lämmerraub mehr glaubt. Auf die überraschende Aehnlichkeit des Finnischen mit dem Niederdeutschen soll hier nur beiläufig aufmerksam gemacht werden. Scyth. *lub* und mag. *lab* (Fuss), sowie *lép* ausschreiten, zeichnen den Milchmann als einen Beute suchenden *lupus*, wie ass. *lip* oder *lap* (Lippe) durch das Zeichen ⊗ einen Viehverschluss (*libbi*=*in*) zu erkennen gibt. Am belehrendsten erweist sich die Vergleichung der in *l* anlautenden chinesischen Wörter, bei denen ausnahmslos die Geringfügigkeit in Lebensweise, Kleidung, Hantirung, Benehmen, Charakter, Weltanschauung der Meier anklingt und wohl am zutreffendsten durch *leu* und *lau* in der Bedeutung von wildem Getreide (*Lauch, Lichen, λειχην*) und angebundener Kuh (Leu) sich zusammenfassen lässt. Sicherlich um das wenig Lohnende und Zwitterhafte der Meierwirthschaft damit auszudrücken, nannten die Chinesen das Maulthier *lo*. Durch unser „lau" (*tepidus*) kann schon darum nur der Wärmegrad des geschichteten Heues (finn. *laka* Schirmdach, Lucke) ausgedrückt sein, weil engl. *lukewarm* allen andern Ableitungen hartnäckig widersteht. Es darf dabei aber nicht ausser Acht gelassen werden, dass goth. *leiks* und *galeiks* (engl. *like*, unser gleich=lich) einen *ligatus* meint, der mit seines Gleichen durch Strohseile verbunden ist und unter der Allen gemeinschaftlichen Lex steht. Das ist das Völklein der Lalles (scyth. *lalĭ* schwach) und Lalenburger, ass. *insch* (אֱנוֹשׁ), gleichbedeutend mit לאם (Zusammengeleimte, Lahme, Lamas, Lämmer), finn. *lahko* (Geschlecht), *lamsi* (Gemeindeacker, Lämmertrift), *laes* (Grasschwaden, λας), *latomus* (Aufreihung, λατομος). Die *li*-Zahl ist in der Regel 6 (*lieu, lu*), die im Erbrecht der Chinesen und in *Manu's* Gesetzbuch eine wichtige Rolle spielt, in der Form *lin* aber einen Verein von 5 Familien bedeutet, der im Königreich Siam für alle seine Angehörigen solidarisch verantwortlich gemacht wird. Sechs sind aber auch in der Regel nur 5 Gemeine und ein Officier, ihre Bewaffnung die Davidsschleuder: bask. *lutzi*, das Stammwort von *lusitani* und dem Namen *Lutz*.

Entscheidend für die 64 *Kua* (Knotenstränge) des *I-king* ist *li, lĭ* oder *liĕ* (Schrift), ein offenbar gerichtlicher Brauch, 64 Strohhälmchen in die Hand zu nehmen und darnach selbst zu rathen oder rathen zu lassen. Von *lĭ* (λι, *linum, Linus*) stammen *litera* und *liber:* die anfänglichen Leinhalme mit Knoten behufs Herstellung schriftlicher Urkunden mussten im Verlauf der Zeit dem Leinsaamen Platz machen, der zerrieben den Saft zum Schreiben lieferte. Das Hälmchenziehen und die Halmenfestuka haben offenbar denselben Ursprung, jedoch mit der Einschränkung, dass vor Zeiten die Knoten der einzelnen Strohhalme den Ausschlag gaben. Inwiefern die chinesische Festuka zur Sicherstellung vertragsmässiger Verabredungen diente, ist aus den Quellen nicht zu ersehen, und es muss, so wahrscheinlich es auch sein dürfte, dahingestellt bleiben, ob ein Knüpfen und Flechten der Halme stattfand, wie es bei den *Ki*-Leuten wirklich der Fall war. Gezogen wurde jedenfalls, denn *çien* hat ausdrücklich den Sinn des Hälmchenziehens; es gewinnt jedoch den Anschein, als ob die ältesten Chinesen bei ihren Rechtsgeschäften den linken Arm und die Brust entblösst hätten, was jetzt noch *tan* und *śen* heisst, wie ich glaube, um die darauf tätowirten Familienzeichen öffentlich aufzuweisen, ein Gebrauch, der in Deutschland ebenfalls nicht ganz verschwunden ist. Den

Namen *sen* legten die Chinesen dem Lande bei, in welchem ihre Vorfahren zuerst sich niederliessen; kein Wunder daher, dass von der „ehernen“ Feste Turans ein Thor nach Iran und eins nach „Tschin“ führte. Eine Gerichtswage: *lanx,* in welche der Empfänger zu „langen“ hatte, und deren Balken eine Lanze vorstellte, lässt *leang* vermuthen, was Schalen, Messinstrument und Tael bedeutet. Bevor wir an eine gründliche Untersuchung der Frage gehen, wie es um den Rechtsgang der *Ki*-Leute bestellt war, muss erst festgestellt sein, warum das Chinesische, das einen Ueberfluss an *l*-Wörtern besitzt, so gut als gar kein *r* kennt, während umgekehrt im Aegyptischen und Parsischen das *l* im *r* sogar gänzlich aufging. An den Sprachorganen kann es nicht gelegen haben, denn diese verhalten sich exclusiv nur dann, wenn die Sprachvernunft absichtlich sich eines Hauptlauts enthält; dass aber das ägyptische *r* in sehr vielen Fällen an die Stelle des *l* tritt, lässt sich an einer langen Reihe von Beispielen nachweisen. An dieser Stelle genügen wenige. Aeg. *r* sein ist לָעָה sprechen; *ra,* Sonne, Thor, eigentlich Rad = לֹעַ Schlund, Kehle; *rabu* Löwin, Rauberin = לְבִיא nächst לָבָא*) brüllen, לָבַב fett sein, לֵב Herz, *labium, λειπειν*; *rem* weinen = (ungebr.) לָאַם, wovon לְאֹם Volk, daher *rem* zugleich den Fisch Abramis bedeutet, eine Menschenmenge (Schwarm) in dem oben angegebenen Sinne; *ren* Name wurde aus לָעָה gebildet und entspricht als Uräus mit dem Scheffelmasse der Luna; *renen* weilen, nächtigen = לִון; *repa* Häuptling = לַבָּה, לֶהָבָה Flamme, Klinge; *rer* Ferkel, *renu* säugen (wovon rinnen, Rhein, rein), *ρεω* stehen zu leeren und lehren, zu lullen und לו (לוּשׁ lecken); *rat* thun = raden, aber auch laden; *res* Mittag = לָשַׁע spalten, לֶשַׁע Spalt (nämlich der Tageszeit),

---

*) Es wird wohl Niemand bestreiten, dass das spanische *Leon* nicht unmittelbar nach dem Löwen benannt ist. Die Stallkuh der Chinesen (*lau*) gibt den Ausschlag.

לָשׁוֹן Zunge; *rat* Fuss = Rad, scyth. *lub*, mag. *lab* (Fuss); *rut* Stamm = לוּד Wüstenbewohner, לוֹט Schleier, לְעוּת Laut, Rede; *rut* hat zugleich die Bedeutung von erneuern, wiederholen = לָתַע abbeissen, abbrechen; *rekh* glühen, *rekhui* glühende Kohlen, *reker* Beiname des Osiris = לַחֹן leidenschaftlich erglühen, buhlen, לָכֵן s. v. a. כֵּן, כַּנָּה Setzling; *rech* sprechen = לָחַךְ lecken; *ar* erheben, Gazelle, *αlρω* = עָלָה; *arr* Wein = עָלַל drehen, keltern; עוֹלֵל Nachlese halten; *ara* Basilisk = אַלָּה, אֵלָה Eiche, Tamarinthe (Ahle, Elle); *arp* Wein = עָלַב weiss, hell aussehen; *art* Milch = עָלַק lecken; *arh* Termin = עֹלָה Opferzeit. Im Demotischen findet sich *ἀϑλοφορος* geschrieben: ATHROUPHOROUS.

Nicht anders verhält es sich im Parsischen; der Grund aber, warum im Pharaonenreich und im Parsenland das *l* getilgt wurde, liegt in den Sylben *phar* und *par*, weil ein Volk von „Fahrern" (Bauern) keine *lu*-Leute unter sich duldet. Umgekehrt waren die Chinesen, so lange man sie kennt, das Gegentheil der Fahrer, von einer über alle Begriffe stationären Friedfertigkeit, aber eben darum eine ebenso unglaublich leichte Beute für kriegslustige Eroberer. Ares liebt das Dreinschlagen, und wo er seinen Arm erhebt, da stiebt das Völklein der Zwerge auseinander.

Nach dem Finnischen zu schliessen, galt bei den Turaniern das *li* für ein verkommenes Erzeugniss des *ki*, denn *Kalewa*, der Vater der zwölf Riesen, hat unter seinen Söhnen den ungerathenen *Lempo*, der nicht verdient, unter die Kalauer gezählt und zu ihren Comitien berufen zu werden, weil er unordentlich mit seinem Vieh im Walde und auf den Weidegründen umherzieht und darum für das Unrecht, das er an Andern begeht, weder Red' und Antwort steht, noch auch den gesunden Muth und die derbe Kriegstüchtigkeit ansässiger Bauern entfaltet. Es sind die Leichen von ächten Söhnen *Kalewa's* gemeint, wenn samländ. *Kaporn* ein Hünengrab (*altsl. mogily*) ausdrückt. Wie immer *ki* sprachlich verwendet und gestellt werden mag, es ist das vereinigende, Gemeinschaft setzende Princip, daher die Aegypter mit *k* die Vorstellung von Du verbanden; die Anschauung aber, die der zahllosen Menge analoger Begriffe zu Grunde liegt, ist mag. *gy*, jene Rinderart, der das gemeine Rindvieh Namen und wohl auch Ursprung verdankt. *K* (*q*) ist unsre Kuh, übrigens in dem ausgedehnten Sinn, dass alle Milch gebenden Stallthiere darunter zu begreifen sind. Ihrer Südprovinz mit der Hauptstadt Nanking können die Chinesen nur darum den Namen *Kiang*: Kuhwange beigelegt haben, weil die Stallfütterung und das Leben in „Kitten“ daselbst zuerst in Aufnahme kam, obschon, oder vielleicht weshalb, *keu* Nordgrenze ausdrückt. Unter *ku* versteht man daselbst in der That einen Bullen, unter *kŭ* einen Kuhstall; die Manigfaltigkeit der im Stalle gefütterten (*casatus*) Thiere aber, aus deren Milch *caseus* bereitet wurde, zeigt die leicht zu verdoppelnde Zusammenstellung von chines. *ki* Füllen und Hirsch, *kia* Fahrstute, *kiau* wildes Pferd, finn. *kamo* und *koni* Gaul (tatar. *kumi* Stutenmilch, mag. *kantza* Stute), *caballus*, *capra*, äg. *kehes* Gemse, *kia* Ziege, *kerschi* Gazelle, finn. *kielus* Renthierschlinge, chines. *çe* Mittelding zwischen Esel und Kuh (*κιλλης* Esel, *κιλλιξ* Ochs mit gekrümmtem Horn, *κηλων* krummes Horn und Beiname Pans), Zebra, Kidang (*prox muntjac*: gezähmter Damhirsch), finn. *kauris* Ziegenbock. Die sorgfältige Pflege und gewählte Züchtung des Milchviehs ersieht man aus chines. *kiang*, das ausser der Provinz dieses Namens eine weisse Kuh (finn. *koiwas*) ausdrückt: finn. *kirjas* gefleckte Kuh oder *Circe* von *κ — ἐρκειν*, finn. *kiekerö* Winterverschluss der Renthiere), wie denn *Io*, *Apis*, der Schimmel der germanischen und slawischen Sage, der weisse Elefant der Birmanen, die weissen Rinder Marc Aurel's u. s. w. es laut kund thun, dass die weisse Farbe solcher Thiere, auch wenn sie im wilden Zustand derselben zuweilen als Naturspiel vorkommen mag, dem Culturmenschen von jeher als ein ehrendes Zeichen sorgsamer Wartung galt. Bei den Söhnen Arpad's steht der Schimmel so hoch in Ehren, dass sie nicht anders glauben, als dass ihre Vorfahren ganz Ungarn von *Swatopluk* um einen solchen käuflich an sich gebracht haben.

Wie bei *li* ist auch bei *ki* der darin enthaltene Zahlenwerth nicht überall derselbe: ק und *ϰ* drücken 20 aus, was zu den 10 Fingern und den 10 Zehen um so besser passt, da כַּף (*capio*, Kufe), scyth. *kat*, *finn. kúsi* wirklich Hand (äg. *kahu* Ellbogen) ausdrücken und der ägyptische *kef* als Herr von *khemi* (Aegypten) vorgestellt werden muss. Die grössere Wahrscheinlichkeit spricht indessen dafür, dass der wahre Zahlenwerth von *ki* in finn. *kahdeksa* (*ϰα-δεχομαι*, decken, Dach, *δεϰα*): 8 enthalten ist und nichts anders ausdrücken soll, als Kuhzehne, die Zehnzahl der Küher. In dem Fall wäre es gleichbedeutend mit chines. *pă* (8), dessen Schriftzeichen 八 dem Zeichen 入 (*ši* einziehen) zum Verwechseln ähnlich sieht, und überdies noch den Sinn hat, sich gegenseitig den Rücken zukehren, somit decken. Es sind die 8 Küher gemeint, die zusammen wirthschaften. In den Zusammensetzungen steht das Zeichen in der Regel oben, was von einem Niedersteigen (Erdhöhle, Schiff) sich deuten lässt. Der anscheinend sonderbare Umstand, dass im Chinesischen unter *ki* (Sechszahl des alten Denars und *kopt. ku*) überzählige Finger oder Zehen verstanden werden, hat einen leidlichen Sinn nur dann, wenn man den Ueberschuss über die normale Fünfe, somit ein sechstes Glied, darunter versteht, womit es sich freilich nicht so leicht in Einklang bringen lässt, dass in demselben Denar *kuei*, im Finnischen *kymmen* 10 bedeutet. Den Ausschlag dürfte zuletzt finn. *kûdensi* (der sechste) geben, und damit angezeigt sein, dass im ältesten *ki* sich die Sechse des *li* erhalten hat. Ueberhaupt aber enthält *ki* die Vorstellung eines städtischen Gemeinwesens im Unterschied von dem Bauerndorf, und die

Achte bezieht sich auf die städtische Gilde und deren kaufmännischen Verkehr, woher es kommt, dass finn. *kymi* Fluss und unser Wort Kieme (engl. *gill* = Gilde, *goth. giltha* Sichel, finn. *kirwes* Axt), sowohl im äolischen *κυμη* als im campanischen *Cumæ* sich erhielten, und zwar als ein städtischer Gildenverein, der breiter Wasserstrassen nicht entrathen kann. Wie richtig *goth. giltha* die Beschäftigung der Gilde mit Ackerbau (scyth. *kintik* Acker) errathen lässt, erhellt aus dem mit *khemi* fast identischen äg. Worte *khems* Aehre, das in *khemi* (Feind) den Hass (*gemere*), aber auch die Wehrhaftigkeit steuerpflichtiger Gildenvereine verkündet. Die alten Parsen können schon darum nur nach cumanischem oder Gildenrecht gelebt haben, weil sie den Willen *kâma* nannten, womit das Wollenrecht von selbst ausgeschlossen ist. Bei den Germanen war jedenfalls die Gilden- oder Kiemenzahl zehn (finn. *kymmen*). Ein solches Zusammensitzen und Zusammenwirthschaften fanden die Aegypter ausserordentlich glücklich in der Honigwabe (*kebi*) der fleissigen Bienen vorgezeichnet; aber durchgreifender als jede andere Anschauung herrscht auf dem Gebiete der sittlichen Weltordnung die Gelenkbiegung: chines. *ku* Gelenk, äg. *kna* biegen, *knc* Armbiegung, *kneb* Knie, *genu*, *gena* Kinn, *genus*, *gigno*, *γεννω*, *γυνη*, goth. *kunaveda* Fuss- oder Armfessel, *kuni* Geschlecht, mit den zahllosen Wortbildungen, insbesondere Familiennamen, die in der agnatischen und cognatischen Verwandtschaft zusammentreffen und bei den Assyrern durch כִּן (= Kinn), bei den Scythen durch *gina* den Begriff des Seienden prägnant wiedergeben. Man geht gewiss nicht fehl, wenn man China, als das Reich der Mitte, davon ableitet, und den ägyptischen *kneph* (Knopf) von demselben verknüpfenden Princip versteht, das in Kniekehle und Kinnbacken den Zusammenhang der Geburts- und Familienverbindung so klar präcisirt, als dies der vernunftmässigen Bildung von Analogien überhaupt möglich ist.

Der weitere Hergang ist folgender. Dem *ki* muss nothwendig ein *ka* vorausgehen, dieses *ka* in seiner ursprünglichsten Form aber ist äg. *kah*, die Hieroglyphe [hieroglyph] : *γα*, *γη* und ein unvollständiges, gleichsam mit einem Mittelpunkt versehenes [hieroglyph] : *tou* Berg (תהו Einöde). Lat. *pagus* drückt ein durch chines. *pa* (Riemen), also vertragsmässig (chines. *pi*), verbundenes *kah* (Gau) aus. Der *kah*-Hieroglyphe entspricht das chines. Schriftzeichen [character] *śan* Berg (ש, שן arch. [character]; hierogl. [hieroglyph] Zahn, Zaun), das gleiche Lautwort aber ist *kuan* (*kwan*) Bergeplatz der indischen Panis und der germanischen Wanen, die von *κακεις* (engl. *cakes*) ägyptischen Broden leben. Die Uebereinstimmung von Berg und Bergen ist damit vollständig dargelegt, und irre ich nicht, so meint das finnische Zahlwort *kolme* (3) eben jene drei Kulme oder Spitzen (Hörner, chin. *kio*) von chin. *śan* (*san* 3 = kopt. *schomnt*), dessen Erzeugniss [character] Gras ist. Im Gegensatz zu dem Gras- und Heuhaufen stellt [character] dasselbe was demot. *Ψ*, ein einzelnes Pflanzengewächs vor, in Uebereinstimmung mit griech. *ψ*, dessen Wurzelsinn ein Körnchen zu sein scheint, übrigens unter Zugrundelegung der Dreizahl. — Ihren treuesten Freund haben die *ki*-Leute am wachsamen *kiuan* (*kwan*, *κυων*), der ihre Herden und Wohnungen beschützt und bei den alten Chinesen in gleich hoher Verehrung stand, wie bei den Zendvölkern, die sachgemäss auf den dienstbeflissenen Beamten übertragen wurde. Das mit *canis* nächstverwandte finn. *kana* Huhn (mag. *kakas* Hahn) stand in demselben Rufe eines treuen, nützlichen und wachsamen Hausfreundes und muss darum dem כִּיּוּן oder Saturn, den die Israeliten in der Wüste verehrten, und die Parsen als höchstes Sternbild anriefen, geheiligt gewesen sein. Die Mannakost und die Art und Weise, wie sie eingesammelt wurde, entspricht gleicher Massen der Gildenwirthschaft, da Manna wie Mann (*man*) von *manus* hergeleitet werden muss. Dieses Gemeinsame und Geschlossene (finn. *ki* Verbindungspartikel, *kirkko* verknüpfen, *kirso* Mund, *κηϱ*) liegt auch in den Bedeutungen Löffel (mag. *kalán*), Lehnstuhl, Schachbret, junge Thiere, wie Füllen, Gänse u. s. w., welche *ki* im Chinesischen hat; ass. *ku* aber kann nur darum gleichbedeutend sein mit *dur* (הוש = אוש stark durch gegenseitige Berührung, franz. *toucher,* auch *douche*), כן (befestigen, gründen) mit דור (in Reihen geordnet, *durus*, *ϑυϱα*, דור Kreisstadt), weil die Gilde darauf angewiesen ist, sich hinter Thoren und Thüren eine sichere Existenz zu bereiten. In der Verschwägerung und gemeinsamen Trauer um ihre Todten (*κηδευω*, finn. *kyty* Schwager, der zur Kitte — *σφαιϱα* — gehört) findet die Kitte den Kitt, der sie im Leben und Tode verbindet. Um jedoch den Umfang aller auf *ka* oder *ki* zurückzuführenden Begriffe übersehen zu können, muss man unter Anderem gegenwärtig haben, dass sehr häufig *h* an die Stelle des *k* trat, so in goth. *hliuth* (Gehör) = *klio, hlamm* (Schlinge) = Klammer, Hanf = *canabis, hnuto* = Knute, Hetze = span. *caza, hlifan* = *κλεπτειν*, finn. *hernet* (Erbse) = Kern; daher es für ausgemacht gelten muss, dass Kopf und Haupt, nach der Analogie von *κεφαλη*, *caput*, Kappe, Haube, oben, etymologisch sich nicht trennen lassen. Ein Vergleich des Finnischen mit dem Chinesischen, des Lateinischen mit dem Aegyptischen hinsichtlich des *k* gewährt den schönsten Einblick in die wunderbaren Triebräder des Sprachgeistes.

Chinesisch.	Finnisch.
kai wie!	*ka* siehe da! (äg. *kah* berühren).
kian gähnen.	*kihân* zischen.
kiun züchtigen.	*kiwun* schmerzen. / *kîwân* eifern.
kiue Scherben.	*kiwi* Scherben.
kin befestigen.	*kênni* fest.
kan Auswurf.	*kana* Huhn.
kung Band.	*kangas* Gewebe.

ken krumm.	*keno* schief.
ko individuell, Reif.	*ko num?*
ko umfassen.	*koen* umfassen.
ko Kornmass.	*koko* Haufen.

Aegyptisch.	Lateinisch.
khep fassen.	*capio.*
kha messen, viel.	*cadus* Krug (*cado*).
khau Katze, Altar.	*catus* katzenhaft. ital. *gatto* Kater.
kene aussprechen.	*censere* beurtheilen.
kers einbalsamiren.	*cera* Wachs.
kenken Kronvogel.	*cincinnus* Haarlocke.
kerer Backofen.	*ceres.*
kerhu Nacht.	*carbo* Kohle.
kerschi Gazelle.	*cerasus* Kirschbaum.
kenel Knie.	*genu* Knie.
kert Sitz.	*certus* festsitzend, ausgemacht.

Zu seinem grössten Vortheil unterscheidet *ki* sich von dem unsteten *li,* das keine Vergangenheit hinter sich bekommt, durch die mit der Ansässigkeit und Unveräusserlichkeit verbundene Dauer des Familienguts. *Ku* ist das durch zehn Generationen Gegangene, also längst Vorhandene, Adelsgut, und wenn die Chinesin ihren Mann mit *ku* anredet, so erweist sie ihm die Ehre eines Alten (Seniors) und Adligen. Das Heiligste und Ehrwürdigste, was die Chinesen kennen, ist das Alter der Familie und die Verehrung der Ahnen. Der älteste Name*), den sie sich deshalb beilegen und womit sie die Vorstellung von Ureinwohnern verbinden: *miau-çe* will nichts anders ausdrücken, als Ahnentempel, jenen *spiritus familiaris,* der den Hausherd

*) Novara-Expedition II, 329.

in sichtbarer Gestalt beschützt, und den Fuchs, seines kunstgerechten und schwer zerstörbaren Baues wegen, in den Verdacht brachte, ein von Geistern besessenes Thier zu sein. Der Ahnenkönig oder Oberpriester ist in Japan der *Mikado*, dessen Function erst mit dem Buddhismus dahin gelangt sein kann, da *Miako* der berühmteste Buddha-Tempel von ganz Japan ist. Der weltliche Gerichtsplatz der Küher ist eine bedeckte Halle: *kuan* (*kwan*), und die bürgerlichen Rechtsgeschäfte, die daselbst ihre Erledigung finden, enthalten unter der Bezeichnung von *kĕng* alles das, was die Römer bei der *confarreatio, testificatio, obligatio* durch das Nexum, die Franken bei der *chrene cruda* (äg. *khrut* Saame, Kraut),*) dem *adfathamire* (anfädeln), *agramire* (anseilen) zur Bekräftigung und Legalisirung der Verträge symbolisch vornahmen. *Kĕng* bedeutet Fadenwickeln, in Scherben zerschlagen, Kraut- und Mehlsuppe. Als *I* gesprochen hat *ki* für die Ansässigen den Sinn von dem *lĭ* oder *liĕ* (*ligare*) der Luleute, denn es bedeutet gleichfalls errathen, wie auch umstricken und verknoten, aber jedenfalls nur bei Solchen, die das ständische Recht zum Zopftragen (*ki* weiblicher Haarzopf) hatten. Nähern Aufschluss über die Procedur ertheilt *kiuen* (*kiwen*) in der

---

*) Meine Behauptung, dass unter *chrene cruda* ein Kren- oder Meerrettichgericht, unter *testamentum* eine Schüssel Münze zu verstehen sei, findet ihre Bestätigung durch ital. *fu*, was weiland und Baldrian (*Valeriana*) bedeutet, ausserdem wohl auch im Patschuli (wahrscheinlich *ćang*), dessen sich die Petsche oder Pietsche (Peche) im Lande Petscheli zu ähnlichen Zwecken bedienten. Das Petschaft wurde zuerst in Pech abgeformt. Der Petsch als solcher ist Nassauer (Pisser). Man fühlt sich versucht, ebendahin *καρος* (Todesschlaf) und *καρον* (Kümmel) zu ziehen, und dem Knoblauch (*σκορδον* = *scortum*) das Anrecht eines altjüdischen Erinnerungskrautes zuzuerkennen. Es liegt auf der Hand, dass zu der Schüssel Krausemünze das *mentum*, d. h. das verwandtschaftliche Kinn oder Knie, geladen wurde. Das Geschirr, aus dem der japanesische *Mikado* speist, wird jedesmal am Schlusse der Mahlzeit zerbrochen.

Bedeutung von Vertragsabschluss mittels Holztäfelchen, die in zwei Theile zerbrochen oder zerschnitten wurden, damit jeder der beiden Vertragsschliesser eine Hälfte davon in Empfang nahm und bei sich aufbewahrte, oder einem der Zeugen zum Aufbewahren übergab. War der Zeitpunkt für die Erfüllung der vertragsmässigen Verbindlichkeiten gekommen, so brachten die Parteien ihre Hälften zur Stelle, damit geprüft werden konnte, ob sie zusammen passten. Da *kien* den Sinn von Schreibrohr hat, so wird das Schreiben der *ki*-Leute durch Kien (Kienruss) bewerkstelligt worden sein, was entschieden auf Herdfeuer schliessen lässt, dessen es beim Leinschreiben nicht bedurfte. *Kiĕ*, das einschneiden bedeutet, lässt sich von den Einschnitten in der Festuka verstehen, muss aber einmal von der Mandarinen- oder Grafengewalt ausgesagt worden sein, da man damit die Knotenstränge bezeichnete, deren eine Hälfte der Kaiser behielt, die andere der Beamte zu seiner Legitimation in Empfang nahm. Unter allen Umständen theilt *fu* mit *kiwen* die Ehre der Vertragssymbolik durch das Mittel zerbrochener Holztäfelchen, deren Hälfte die Parteien als Unterpfänder an sich nahmen, was darum von besonderer Wichtigkeit ist, weil *fu* (*fo*) ausschliesslich dem Buddhismus zufällt, folglich dessen Uebereinstimmung mit der *ki*-Lehre bestätigt. Was dem *ki* die Selbständigkeit, oder seinen persönlichen Werth verleiht, ist *kwo* (Körnerfrucht), während der *li* von *lo* (Knollengewächsen) lebt. In Anbetracht der Schreibkunst findet die Zurückführung von *kien* Rohr oder Griffel auf *ki*, in dem allgemeinen Sinn von Horn und Hornvieh, bei der nicht abzuweisenden Uebereinstimmung von עֵץ (Ast, Stab) und עֵז, *αἴξ* (Ziege) mit dem baskischen Ausdruck für Buchstabe: *izkira* Ziegenhorn (auch *hitz* allein), einen wichtigen Anhalt an „Buchstab“ (= Bocksstab). Das baskische Synonym *bekia* oder *beki* ist das *ja:* Verbindungszeichen der (mag.) *béka* (Frosch), die in Frieden (*béke*), als Becker und bechernd im gemeinsamen Becken zusammenleben. Froschmaul: *bekao* ist dem Basken gleichbedeutend mit Selbstlauter; die Benennung der Mitlauter: *otzkiden* halte ich für identisch mit *oscen*.

Sonach hat es einen sehr verständlichen Sinn, dass die Chinesen zwischen *li* und *ki* als Vermittelungsprincip *tau* treten lassen: es ist in allen Fällen die richterliche Zugkraft (Gewalt), welche für die Erhaltung der gesetzlichen Ordnung sorgt. So geschah es, dass *tai-ki* von der hohlen Gelehrsamkeit in die höchste Spitze oder das Absolute umgedeutet werden konnte, das durch die ihm inwohnende Zugkraft die materielle Welt als bewegt (*li*) erzeugt, um in sich selbst ruhend die ruhende Materie oder festsitzende Weltordnung (*ki*) ins Dasein zu rufen. Dem *tai-ki* wird das Verdienst zugeschrieben, die beiden Grundlinien (—— und — —) erschaffen zu haben, die *hiao* oder Parallel-Linien heissen. Das *ki* allein vermag den Menschen persönlich zu machen: chines. *ki* (Selbst, er, sie), mag. *ki*, lat. *qui*, finn. *ken* (mag. *kan* männlich, könnend) ist unser wer, der *vir*, der mit Wehre und Gewähr (Gewere) ausgerüstete Mann, kein halber Besitzmensch, sondern ganzer Eigenthümer, und wer ein rechter König sein will, der muss über *qui* herrschen: mag. *kirdly* (*κυριος*, *curio, quiris*). Entschieden die Perle im Kranze der chinesischen Sagenwelt hat zum Gegenstand die dichterische Verherrlichung der einem *ki* ebenbürtig zur Seite stehenden Gattin. Ihr Name lautet *kiang-śĭ-çe:* Fluss-Mensch-Grenze, Gattin von *kiang-śĭ* und voller Unterwürfigkeit gegen ihre Schwiegermutter, die es sich in den Kopf gesetzt hatte, nur im *Jang-çe* gefangene Karpfen und geschöpftes Wasser zu geniessen, d. h. sie forderte von ihrer Schwiegertochter Dienstleistungen einer niedrig Geborenen oder Concubine. Als *kiang-śĭ-çe* ihr Wasser und Fische einmal vorzusetzen vergass, liess ihr Mann sich von ihr scheiden, was sie nur um so eifriger in ihrer Pflichterfüllung machte, denn

Tag und Nacht sass sie am Webstuhl und kaufte vom Erlös ihrer Arbeit Leckereien, die sie durch unbekannte Personen ihrer Schwiegermutter zustellen liess. Als ihr Mann es erfuhr, nahm er sie wieder zu Gnaden an und fortan sollte der Sohn Beider das Wasser für die Grossmutter schöpfen. Als er darüber in den Fluss fiel und ertrank, verschwieg *Kiang-ši-çe* der alten Frau das Unglück, eine Pietät, welche die Götter ihr so hoch anrechneten, dass sie neben der Wohnung *Kiang-šĭs* eine Quelle mit den bewussten Karpfen hervorsprudeln liessen. Mit andern Worten: der Sohn hatte auf eigenem Grund und Boden von nun an Alles, was die Mutter haben wollte, und es brauchte das Nöthige nicht länger dem gemeinsamen Flusse entnommen zu werden. Auch dabei kann an Pfahlbauten und geschlossene Fischteiche gedacht werden. Neuerdings wies *Brillat-Savarin*, der feine Geschmackskenner, wie mir scheint mit Recht, auf die ungewöhnliche Fruchtbarkeit der vom Fischfang sich nährenden Bevölkerungen hin. Die Bauernkost hat entschieden dem Majoratswesen Vorschub geleistet.

Ki am nächsten verwandt ist *ti*, mit dem Gefolge der verschieden modulirten Zischlaute, in denen das Ziehen von Kunsterzeugnissen für den menschlichen Lebensbedarf enthalten liegt, wozu nur ansässige Leute gelangen. *Miau-çe*, d. h. Reiszieher, ist der Name, den die Chinesen ihren Urvätern beilegen, weil Gesittung und Staatsleben mit diesem Zeitpunkt ihren Anfang nahmen: hinter dem Reisbau liegt das Chaos oder die Sündfluth. Damit finden zugleich die vier fortlaufenden Aufschriften im *I-king*: *juen* (*magnum*), *heng* (*penetrans*), *li* (*conveniens*), *ćing* (*solidum*) ihre Erledigung, denen ihre abstracte Adjectivform erst abgestreift werden muss, bevor sie sich in den Schematismus der chinesischen Cultur einfügen lassen. *Juen*, von *šuen* erst im Verlauf der Zeit unterschieden, stammt von der Verbindungs- und Fragepartikel *je*, womit der Chinese den Vater anredet, engl. *ye*, unser Ihr, und bezeichnet eine „Innung“ von *je*, die um ihr Bodenstück, 20 (nicht 30) Morgen im Betrag, zum Schutze einen Wassergraben gezogen haben. Dies bedeutet *juen*, ausserdem die oberste Ursache, weil die Ansässigkeit ohne hinreichende Gewähr für die Früchte der Arbeit den Hungertod im Gefolge haben müsste. *Heng* oder hängend drückt einen Quer- und Hängebalken (auch Waage) aus, der nach Bedürfniss vor- und zurückgeschoben werden kann, und damit denselben Dienst leistet, wie der Wassergraben. Zunächst wird man an einen Erdaufwurf mit verschliessbaren Thoren zu denken und mit *penetrans* die Vorstellung der Verschliessbarkeit zu verbinden haben. *Li* meint einen Bauernverein (*conveniens conventus*), dessen Bodenparzellen in Quadraten von 20 Morgen (*juen*), durch Wassergräben geschieden, neben einander liegen, darum immer nur für ein offenes Dorf gelten können. Fünfundzwanzig Hufen, also 500 Morgen, machen einen *tien:* 田; eine Anzahl *tien*, die von den Umständen abhängt, sich in den mir bekannten Texten, wenigstens nicht normirt findet, bildet eine Dorfschaft (*li*): 里 indem 土 die obrigkeitliche Gewalt (*sse*) meint. Die Normalgrösse für ein Dorf bildet allerdings *tien* selbst, es bleibt aber sehr fraglich, ob dieselbe jemals streng durchgeführt wurde. Weil blos von unsichern und ungenügenden, dem Vertrocknen ausgesetzten Wassergräben geschützt, beruht die Existenz des Dorfes auf einem unkörperlichen, formlosen, allen möglichen Wandlungen ausgesetzten Princip; in *ćing* dagegen herrscht das feste und figurative Princip, nämlich die Erde, deren festeste Producte die Steine. *ćing* ist: „solid“, denn die Stadt ist von einem Erdwalle (*ćing*), noch besser von einer Mauer mit „Zinnen“ eingefasst, darum auch jeder Fussbreit Boden genau regulirt und abgemessen (*ćing*). Insofern macht das Wesen von *li* das *juen*, das Wesen von *ćing* das *heng* (Wallabhang) aus. Alles *ći* aber muss für ein *ki* angesehen werden, und sind die verschiedenen Bedeutungen in der That ebenso viele Prädikate des städtischen Lebens und der städtischen Bevölkerung. *Cin* (Zopf) heisst in der Buddha-Sprache die Welt, und wenn nicht Alles täuscht, so begegnen sich auf dem Punkte Buddhismus und Zendismus.

Jedenfalls ein Nachklang dieser anschaulichen Vierheit ist die abgezogene der vier Elemente (*siang*), wie sie durch die Combination der Urzeichen ⚊ und ⚋ (*jang*, des starken, und *in*, des schwachen) versinnbildlicht wurde: ⚌ Luft, ⚏ Erde, ⚍ Feuer ⚎ Wasser. Die Bezeichnung *siang* bedeutet Gegenüberstellung oder Antithese, und gibt deutlich zu erkennen, dass man es mit zwei antithetischen Paarungen zu thun hat, dem Gegensatz von Luft und Erde, und von Feuer und Wasser. Ist die Luft schlechthin ungetheilt, Allen gemeinschaftlich, so findet bei der Erde gerade das Umgekehrte statt: Grund und Boden müssen, um sich culturfähig zu erweisen, vermessen und abgegrenzt sein. Wo Feuer ist, da geht es vom Individuellen aus, ist grundwesentlich Herdfeuer und Eigenthum Solcher, die es für ihren Bedarf angemacht haben und unterhalten: der Rauch, den die Flamme hervorbringt, verliert sich in dem Allen gemeinsamen Luftraum, während umgekehrt beim Wasser das Element, das die Schiffe trägt, also das Untere, Gemeingut, das oben schwimmende Schiff dagegen individuelles Eigenthum ist. Es erleidet jedoch keinen Zweifel, dass diese Elementardeutung den *kuas* erst später untergeschoben wurde; ja es ist sogar unwahrscheinlich, dass die acht dreizeiligen Schlüssel, die sich an die Elemente reihen, für uralt zu halten sind und nicht vielmehr hinterher ausgeklügelt wurden. Man nennt sie *pakua**) (Achtzeichen) und ihre Aufeinanderfolge ergibt nachstehende Kette natürlicher Haupt- und Eigenschaftswörter: ☰

*) J. Mohl, *Y-king* II, 524.

kien feuchte Luft (Athem): das *hi* in Himalaya und Himmel ist = chines. *ki*, und ☰ in der Bedeutung 3 (*san*) entspricht drei Bergkulmen; ☱ *tui* leichter (aufsteigender) Dampf, Wasser (☱) als Wolken in der Luft (☰); ☲ *li* wärmendes Feuer, als Herdfeuer in den Wohnungen der Dorfbewohner; ☳ *ćin* starres Zinn (Eisen, Gold), wohl mit Rücksicht auf den städtischen Geldverkehr; ☴ *śuen* umschlagender Wind, biegbares Holz, auch von sich lockendem Haare und gekrümmten Flussufern ausgesagt, dürfte einen einzeln hausenden Randsitzer (*śuen* kleiner Grundeigenthümer) andeuten, der Holz und Wurzeln erst zu entfernen (*s'uen* roden), zugleich aber auch nach Hundeart (*swan*) das, was hinter ihm liegt, zu bewachen hat,*) wodurch ein Commentator sich veranlasst zur Bemerkung sehen konnte, *śuen* meine das Aeussere, *li* das Innere, jenes das Vorfeld, dieses das Binnenland (alles *śa* ist dem Chinesen ausländisch**)); ☵ *kan* kühles Wasser hat den Sinn des Begiessens der Setzlinge (כַּנָּה *canne*, chines. *kan* eingraben) mit der „Kanne“, und die gemeinsam „setzen“ gehören zu *kan* (Schild, Stamm, goth. *kuni*); ☶ *ken* harte Berge muss aus der Bedeutung Wurzel erklärt und auf das anstrengende Holzfällen (Urbarmachen, Roden, כֵּן aufrechte Gestalt?) bezogen werden; ☷ *kwen* trockene Erde, kaum zu trennen von *kwan*, noch von finn. *kuwa* Menschenbild, gibt einen befriedigenden Sinn nur, wenn man unbenutztes Kronland darunter versteht, das gegen Zins abgetreten wird und darum im Namen des Kaisers von Beamten (*kwen* und *kwan*) verwaltet werden

---

*) *Swan* bedeutet zugleich einen „windschnellen“ Löwen und ein Rechenbret, was auf das achtsame und aufmerksame Hin- und Herlaufen Bezug hat und der Vermuthung Vorschub leistet, dass der, sein Nest umkreisende, Schwan das gleiche Wort ist.

**) Dasselbe was den Juden שָׁוְא, שָׁבָא (Vokalzeichen), als שְׁוא Nichtiges, Eitles und verwandt mit שָׁבָה fortschaffen, treiben (Herdentrieb: שָׁבָא Schaf, und Handelsbetrieb). Die Aethiopier nannten den Menschen שְׁבָא (שָׁבַע sieben).

muss. Etwas Höheres, somit ein freies, auf Selbstregierung gegründetes Culturleben, kann der Chinese sich zu Hause überhaupt nicht denken: wenigstens haben die dortigen Schriftgelehrten ihre Kuas redlich dazu benutzt, um die Menge unter strengster Beamtencuratel zu halten, wodurch die Revolution im Reiche der Mitte permanent wurde.

Ursprünglich im Schriftschatz sind im Grunde nur die 64 sechszeiligen Kuas, deren man sich als Schreibezeichen bediente, wodurch es geschah, dass das fortwährend sich steigernde Bedürfniss, neue Begriffe zu verzeichnen, dahin führte, unter ein gegebenes Zeichen immer mehr analoge Bedeutungen zu subsumiren. Es liegt in der Idee der Sprache begründet, dass sich um ein und dasselbe Wurzelwort eine grössere oder geringere Anzahl verwandter Begriffe gruppirte, deren gemeinsamen Laut die Sprechenden zur Verhütung von Misverständnissen anfänglich nur leicht modulirten, bevor sie äussere Zusammenfügungen und innere Umbildungen mit den Wörtern vornahmen. Mit der Zeichenschrift ging es nicht anders. *Champollion* bestimmte die symbolischen oder tropischen Hieroglyphen nach ihrer synekdochischen, metonymischen, metaphorischen und änigmatischen Natur; mittels ähnlicher Kunstgriffe wurden von Interpreten und Commentatoren fortwährend neue Bedeutungen in die Kuas hineingelegt, was nicht wenig dazu beitrug, dass die gesprochenen Wurzelwörter eines Theils auf eine blos äusserliche und bei allen Wortbildungen nach demselben dürftigen Schema erfolgende Weise zusammengesetzt wurden, andern Theils sowohl in ihrer einfachen als zusammengesetzten Gestalt zur Bezeichnung einer Unzahl analoger Begriffe dienen mussten. Der Process im Reden wie im Schreiben blieb darum ein völlig unorganischer, etwa wie beim Geduldspiel. Die beiden ersten Hexagramme des *I-king* bestehen aus sechs ungebrochenen Linien: ䷀ und drücken als *kien* gesprochen den Himmel, als *kwen* die Erde aus, jener das starke (*jang*), diese das schwache (*in*) Princip vorstellend. Mit einander gemein haben *kien* und *kwen* die Vereinigung einer Anzahl Menschen zur Gewinnung ihres Lebensunterhaltes: im Himmel (in den Bergen) gemeinsame Sennereiwirthschaft, auf der Erde (im Camp oder auf der Ebene) gemeinsame Bauernwirthschaft. Mit dieser höchst einfachen Auffassung, die den Schlüssel zum ganzen *I-king* enthält, scheint es zu streiten, dass die Erklärer bei dem Himmelszeichen die Drachen in den Vordergrund treten lassen; es scheint aber nur so, denn aus Sennern bestanden in der ganzen Welt die Miethsdrachen oder bewaffneten Söldlinge der Gewalthaber. Unter den Sennern selbst, so lange sie ihren friedlichen Beschäftigungen nachgehen, gibt es keine Herrengewalt und keine Steuerpflicht; ein Jeder ist so viel werth, als der Andere, und erst die von den Herrschern gemietheten Lanzknechte des Gebirges, wenn sie in die Ebene niedersteigen, werden zu Bütteln und Schergen der Bauern. Das Zeug zu einem Drachen hat mehr oder weniger jeder Senner: sie insgesammt sind geborene Drachen, aber so lange unschädlich, als es ihnen an einem Oberhaupt fehlt. So hat man die Stellen zu verstehen: *Draco est absconditus; nolite eo uti. Draco exivit; est in campis; oportet convenire magnum virum. Si videas draconum multitudinem sine capite, bonum est.* Die Urwüchsigkeit der Senner wird gerühmt als *natura summe valens, actuosa, praeclara.*

Anders die *kwen*-Leute, friedliche Bauern, die zusammen das Feld bestellen: *in convenientia summam constituit.* Das Beste für sie ist, wenn sie festsitzen: *si in solido sit firmus bonum; oportet ut perpetua sit soliditas.* Für die Geschichte der chinesischen Cultur ist die Bemerkung wichtig: *Intra meridiem et occidentem possidet amicos, at intra septentrionem et orientem amicos perdit.* Man ersieht daraus, dass in China die Alpenwirthschaft ihren Sitz im Nordosten hatte, die Bauernwirthschaft in den Ebenen des Südwestens. Entscheidend für die Bauernwirthschaft ist das grosse Rechteck: *rectum quadratum magnum*, von einem gelben Wasserstreifen (*perizonium flavum*) umflossen; nachhaltigen Schutz aber findet das offene Dorf nur durch die Drachen, und zwar die gelbblütigen, die im Felde stehen (*dracones in desertis pugnant*) gegen die schwarzblütigen oder turanischen Feinde China's. Wer bei den Mongolen nicht Patricier oder *Taiçi* ist, der gehört zum „schwarzen" Volk, ist vom Geschlecht der indischen *Kâlas* oder *Coolies.*

Das dritte Kua ䷂ *kan* / *ćin* } *tun* enthält das Produkt von Kananiten oder Emphyteuten und Städtern, die durch Zinnen geschützt sind. Unter *tun*, das, wie bereits bemerkt wurde, *ags. tun*, engl. *town* entspricht, verstehen die Chinesen eine Grenzercolonie oder vorgeschobene Militärposten hinter Wällen und mit Colonenrecht. Dass im Tune Zehntspeicher (Tennen) errichtet waren, besagen zwei Bildzeichen des Sylbenwortes, wovon das eine eine Ziegelpyramide ausdrückt und gegenwärtig noch zu Feuersignalen gebraucht zu werden scheint, vor Zeiten jedoch sicherlich den Dienst eines Weizenspeichers (*πυρος* und *πυρ*) leistete. In der Ueberschrift muss der Satz: *noli eo uti qui peregrinatur* von Sennern gedeutet werden, die ein unstetes Leben gewohnt sind und als ansässige Grenzer (*burgarii*) wenig taugen. Unter allen Umständen bedarf die Colonie eines kaiserlichen Burgmeisters, eines Arxmal, wie die Etrusker ihn nannten: *oportet elevare principem.* Wichtig für die ehelichen Verhältnisse sind die Bemerkungen: *Si non est inimicus, uxorem despondet; si puella soliditatem habet, non faciet ut determinetur; post decem annos tunc determinabitur. Spiritus vitales retinet.* Im bürgerlichen Leben werden die Töchter an Freunde förmlich verlobt, also nicht als Handelswaare betrachtet und an den Nächsten Besten, gleichviel ob Freund oder Feind verkauft. Das ansässige Mädchen, wenn sie die ihr angebotene Hand ausschlägt, kann erst nach zehn Jahren, im Fall, dass sie keine Aussicht auf anderweitige Versorgung hat, vom Vater gezwungen werden, den ihr zugedachten Mann zu heirathen; auf Mitgift hat sie keinen Anspruch: der Vater behält den *spiritus vitalis*, sich des *kidns* oder des Ausathmens enthaltend.

4. ䷃ *ken* / *kan* } *mong*, Frösche sind Emphyteuten auf Wurzelboden (*ken*), der *wilden wortel* des Sachsenspiegels*), darum *ignari infantes*, von denen es sachgemäss heisst: *Si uxorem sibi assumat, optimum; potest habere filium* (rechtmässigen) *et opes* (vererbbare). Dem Froschteiche entspricht *mung*, die allgemeine Speiseschüssel, die ausgelöffelt wird.

5. ䷄ *kan* / *kien* } *su*, Emphyteuse im Himmel, d. h. Anpflanzung von Allen gemeinsamem Wüst- oder Weideboden, und zwar mittels zugeleiteten Wassers (*foramen*), da *su* Flüssiges Wasserstauen, Reispflanzung bedeutet. Die Arbeit geschieht, in Hoffnung, dass sie sich auch lohnen werde, daher das treffende *sperat in desertis, arenosis, lutosis, sanguinosis, vinosis et frumentariis.*

6. ䷅ *kien* / *kan* } *sung*, der Himmel auf der Emphyteuse, d. h. der Gerichtsberg der Emphyteuten, da *sung* so viel als einzeln stehender Hügel, hoch, Gerichtsverfahren, steif dastehen (wie der Vorgeladene), gleicher Meinung (wie die Richter). *Non diu durat hoc negotium. Litem non evincit. Rursus mandatis obtemperat. Ex dissidiis bellisque magnum bonum reipublicæ existere potest.* Die Glosse: *Se abscondit in trecentarum familiarum pago,* ist darum kostbar, weil sie die Normalzahl der Familien, die zu einem Gerichtsberg gehörten, enthält.

---

*) Erbacker II, 61.

7. ䷆ kwen / kan } *sse*, die Erde oder das Tiefland als emphyteutisch und darum unter kaiserlichen Beamten stehend, während die *sung*- oder Zungenleute sich ihr Recht selbst weisen. *Sse* heisst jeder kaiserliche Civil- und Militärbeamte, im gemeinen Denar über 4, im Duodenar über 6 gesetzt. In *senatus* zeigt dasselbe *se* den „gebornen" Staatsbeamten an und wird auf שֶׂה (Schaf) zurückzuführen sein: Schafgeborner, Schöppe, Scabine. *Exiit mandatum magni regis. Aperit regnum. Dat domos.*

8. ䷇ kan / kwen } *pi*, die Emphyteuse auf dem Tiefland, und in der Gestalt eines *pagus* oder gesetzlich abgegrenzten Gaus. Der *p*-Laut ist für China von besonderer Wichtigkeit darum, weil Peking und ganz Nordchina, nämlich *Petscheli*, wo das Patschuli wächst, in den Bereich eines Lautes fällt, der die Cultur der Petschenegen bestimmte, jenes wilden Türkenstammes an der Wolga, den Griechen unter dem Namen Bissenen bekannt und Jahrhunderte lang der Schrecken Europa's. Die griechische Aussprache des chines. *pe* berechtigt zu der Annahme, dass der attische Demos *Βησα*, die thracische *Βιβλινη*, die dortigen Bisalten, Bithynien und eine Menge ähnlich lautender Namen, wie Petscheli gedeutet werden müssen. *Βια* hiess die Tochter des Pallas und der Styx; der babylonische *Βηλος* (Bel) klingt in dem Persernamen *βηλεϱις* wieder: lauter Laute des *βιός* (Bogen) und der *βια* (Gewalt), aber auch des *βιος* oder Bissens, im Chinesischen Löffler (*pi*), letztere bemerkenswerth durch das Schriftzeichen [illegible], das wegen seiner unverkennbaren Aehnlichkeit mit dem *i*-Zeichen [illegible] Raum zu der Vermuthung gibt, dass dieses *i* das Charakterzeichen der *pe*- oder Nordleute war, das ältere *i* (—) dagegen den Süden und seine Cultur kennzeichnete. Nimmt man hinzu, wie nahe *p* und *v* sich stehen, so kann man unbedenklich

auch den Namen der *Visigothi* von chines. *pi* ableiten, das unter andern Bedeutungen die von lat. *pedere* hat, wodurch die petitionsbedürftigen Löffelleute stets berüchtigt waren. Für jeden Rülpser, den einer seiner Gäste von sich gibt, hat sich bei nordasiatischen Stämmen der Wirth durch freundliches Kopfnicken zu bedanken — es gilt ja seiner Gastlichkeit. Im Baskischen hat ΓΙᚴ (*pil*) den Sinn von lat. *pila* (Pfeiler, Haufen), wodurch *pilum*, *pilus* (Manipel und Haarbündel) *pila* (Pille, Ball), *pileus*, Pallas u. s. w. ihre Erklärung finden. Das keines Beweises bedürftige, weil überall offen zu Tage tretende, Uebergehen von *p* in *b* und *f*, und umgekehrt, enthält geradezu die Nöthigung, bei chines. *pi* den gleichen Laut mit dem äolischen Digamma (Ϝ) und unserm „Vieh" (*pe-cus*) anzunehmen und in der Form des *f* und ſ ein im ziehenden *t*, t aspirirendes *p* zu sehen, wie in φ ein solches π. Leicht aspirirt (*phi*) bedeutet *pi* eine Kuhhaut; lat. *bis* hat man für gleichbedeutend zu halten mit dem Digamma: zwei Stücke Vieh (*iber.* ◁I *bi:* 2, chines. *hi*), wie denn auch unsre Ortspartikel *bis* den Anfangs- und den Schlusspunkt einer Linie meint. Gleich dem äol. Digamma hatte im Iberischen ▷I einen Buchstabenwerth, nämlich den von *b*. Ob die Gestalt von Ƙ in Betracht gezogen werden darf, lasse ich dahingestellt, sehe es aber als ausgemacht an, dass Peking so gewiss den Sinn von *vicus* hat, als Braunschweig, und dass Pekinger und Wikinger Zwillingsbrüder sind. Der Löffel wird verständlich erst durch die Schüssel (*mung*), die von Achten (*pà*) ausgelöffelt wird, somit Nase an Nase (*pi*), oder nebeneinander (*pi*), und zwar von Cäsarianern oder Langhaarigen (*pieu*), die ihren Namen mit gestreiften Tigern theilen. Der Gesammtverein beträgt 100 (*pĕ*) Köpfe, und das Zeichen dafür, ein um wenige Charakterstriche vermehrtes ⊟ (*sĭ* *dies*, und *juĕ jubere*, heissen, die äg. Hierogl. eines Zugvogels, der die Stelle des Artikels vertritt, und im Demotischen gleich □ einen Dachziegel, Schiefer bedeutet, ausserdem das althebr. Zeichen für ה) ist, den obersten Querstrich abgerechnet, dasselbe mit *pĕ* weiss, d. h. dem glänzenden Steinring von *Alba longa* und wohl auch Mytilene. Wie chines. ⊏ einen offenen, somit unvollständigen Behälter (*hi, he* Herberge) erkennen lässt, der einem Jeden zugänglich ist, so hat man mit hierogl. ⊂═ (*m* Halb) dieselbe Vorstellung des Einhändigen und Verstümmelten zu verbinden. Geschlossen und darum ganz ist erst □ (*te, ta*): Pflugmesser und Pfeilspitze sind in *pi* enthalten, aber auch die Vorstellung eines Grenzpostens oder Vorwerks; eine vertragsmässige Uebereinkunft, eine solche, die mit dem Recht der Eroberung nichts gemein hat, setzt das *pi* im Geiste der Erklärer des *I-king* jedenfalls voraus.

9. ䷈ *s'uen* / *tien* } *siao-čo* und *siao-jŏ*, Wassergraben und Verbindungscanal: *siao* Tiefe, *čo* ausgraben, Niederschlag; *jŏ* einfassen, Bucht. An dem Kua fällt es auf, dass das Himmelszeichen nicht mehr, wie bisher, *kien*, sondern *tien* lautet, wobei schon des Folgenden wegen an keine Verwechslung gedacht werden darf. *Tien* ist der kleine oder irdische Himmel, wie die Commentatoren sich ausdrücken: es ist, wie wir sagen, das vertragsmässig (*pi*) abgemessene (*t*) oder abgegrenzte Gemeindeland, die 500 Morgen betragende Grosshufe (תא 400)*), deren Bildung die Chinesen im Westen suchen. Hat man sich den eigentlichen Himmel als eine grosse Insel vorzustellen, so ist *siao-čo* oder *jŏ* ein kleines Eiland, dessen Eigenthumsrechte den Besitzern nicht streitig gemacht werden können: Land im Unterschied von der (weiten) Welt, und gewiss in Verbindung mit der Theecultur, wie aber ist schwer zu sagen. Vielleicht dass, wie bei der Weincultur, an Abhänge gedacht werden muss,

---

*) Das Verhältniss ist dasselbe wie zwischen den 50 westgothischen *arpents* und den 40 langobardischen Jaucherten.

an denen in der Regel die Theestauden gezogen werden. *Lex, unio, rotæ axis* bestimmen die Rechtsordnung des Vereins.

10. ☰ *tien* / ☱ *tui-še* } *hu* Tiger, d. h. eine Dorfgemarkung (*li*), deren Bewohnerschaft sich mit dem Mähen (*tui*) von Grünem (*še, šay* = Heu) beschäftigt und aus Kauf und Verkauf (*tui*) desselben ihren Lebensunterhalt zieht. Eine Grenze hat das *tien*, oder was dasselbe: einen Tigerschwanz, aber es ist keine unwiderrufliche, vielmehr eine solche, die sich ohne Gefahr überspringen lässt. Ein Jeder mäht, so viel er mähen kann. Das meint die Glosse: *Licet supra caudam tigridis saltet, illa tamen non mordet. Via plana est; intrepide saltet; strabones videre possunt, claudi incedere.*

11. ☷ *ti* / ☰ *tien* } *tai* Mitengemeinschaft. Wie unter Nr. 9 *kien* sich in *tien*, so hat nunmehr *kwen* sich in *ti* verwandelt. Gewiss nicht ohne Absicht! *Ti* ist Familien-, Magen- oder Buddhistiches Eigenthum (*terra*, Magdeburger Morgen*)), nicht mehr Gemeindeland (*kwen*), und was die Angehörigen des Magens zusammen machen, das thürmen (*tai*) sie auf einen gemeinschaftlichen Haufen (*tai*) Eben dieser Begriff des Allgemeinen dürfte Anlass gegeben haben, die Beamten als *tai* (bei den Mongolen *taiçi*) zu tituliren, deren oberster der *Taikun* in eigener Person. Dazu kommt aber der weitere Umstand, dass alle Macher zehntpflichtig sind, und zwar dem kirchlichen wie dem weltlichen Oberhaupt gegenüber, darum auch unter kirchlichen und weltlichen Beamten stehen, welche die Zehnten einzuziehen (*ti*) und auf Speicher (*tai*) zu sammeln haben. *Si herbæ et radices in unum colligantur, ejusdem speciei reliqua sequuntur. Herbæ ejusdem speciei mutuo connexæ (comitium).* Ein Gleiches wird

---

*) So hat man die Sage zu deuten, Buddha sei ein Sohn des Königs von *Màgada* und der *Maja* (Futterkräuter), und habe seine Lehre dem *Mahakaja* hinterlassen. Der Magen gilt für gross.

in der tatarischen Uebersetzung durch den Satz ausgedrückt werden sollen: *in comedendo felicitatem habet:* sein Glück besteht darin, dass er mit Mehreren an demselben Tische isst. Auch das *utitur vicino non divite* findet seine Erklärung in der Gesammtbürgschaft. Grössere Schwierigkeiten bereitet die Ueberschrift: *Parvulus vadit, magnus venit.* Auch an anderen Stellen wird des Weggehens gedacht: *Volat, volat. Flumen vado trajicit, remotos non deserit. Si eat, nullus est qui non sequatur.* So viel ich sehe, soll damit ausgedrückt werden, dass die überzähligen Mitglieder einer Sippe ein Unterkommen anderswo zu suchen haben, ohne dass sie deshalb aus dem Verbande ausscheiden, an dessen Gesammtbürgschaft sie auch in der Ferne Theil haben. Wie sie vereinzelt und darum schwach (*parvulus*) in der Fremde stehen, so gewinnen sie die alte Stärke wieder, sobald sie zum Magen zurückkehren (*magnus venit*); in Gedanken und mit ihren Rechtsansprüchen folgen dem Scheidenden ohnedies Alle, die, wie es bei den Germanen hiess, zum „Halsfang" gehören. Dass der „Mund" (*mundium*) zum „Magen" gehört, besagt die Glosse: *Sororem suam dat in uxorem.*

12. ☷ *tien* / *ti* } *pĭ*, das umgekehrte No. 11, daher die Ueberschrift: *magnus vadit, parvulus venit.* Da No. 8 gleichfalls *pi* lautet, so kann bei dem gegenwärtigen Kua allein *t* den Ausschlag geben, als das engere Genossenschaftszeichen, und zwar mit dem Zusatz, dass *pĭ* ein modificirtes *pi* (*pe*) enthält. Deutet *pi* auf eine Grenzcolonie, so meint *pĭ* 10 × 10 = 100 Grenzsoldaten, die mit Cypressenschäften bewaffnet, unter einem Hauptmann zu Felde ziehen. Alle diese Bedeutungen hat *pĭ*. So lange sie auf der Fahrt begriffen sind (*pĭ* grosses Seeschiff) und einen Trupp bilden, sind sie gewaltig: *magnus vadit*; kehren sie aus dem Felde zurück, so ist ein Jeder wieder, was er zuvor war, nämlich ein armer Grenzbauer. Der Lautwerth von *p* im Verhältniss

zu *t* und *n* erhellt sehr gut aus kopt. *pe*: er ist; *te*: sie ist; *ne*: sie sind.

13. ☲☰ *tien* / *li* } *tung-śin i. e. hominum conjunctio in deserto*: Bauerndorf auf Bruchland (*esse ad januam simul cum homine*). *śin*, der Stamm für Gesinde, ist im Munde der Chinesen die Bezeichnung für Menschsein und Menschenliebe, darum identisch mit kopt. *sin, schin generare*,*) wie es denn auch schwanger sein bedeutet. *sin*, unser Sinn oder Gemüth, sodann Sünde und die Reue oder Bekümmerniss darüber, erfüllen die Brust dessen, der den *υἱες* (*sues*, *sui*) *'Αχαιων* zugezählt wird, und das ist bei *tung-śin* schon darum der Fall, weil *tung* den Bast meint, in den Soldaten und Colonisten sich kleideten (*miles in palude; muri ascendentes*). Es verdient bemerkt zu werden, dass *tung* zugleich nach den Ostländern weist und folglich den Zug der Colonisation von Westen nach Osten anzeigt. Der Auszug, anfänglich für den, der sich von den Seinigen trennen muss, schmerzlich, verschafft ihm später, wenn die Mühsale der Niederlassung erst glücklich überwunden sind, eine weit angenehmere Existenz, als er sie zu Hause jemals hätte erwarten können. *Cum hominibus se jungens prius amare lacrymatur, deinde ridet.* Auch die Glosse: *magnus exercitus post victoriam mutuo se adunat*, gewinnt einen vernünftigen Sinn nur dann, wenn man sich einen Colonistenzug (*ver sacrum*) darunter vorstellt, der sich den Platz zu seiner Niederlassung erst erobern muss, nachdem dies aber einmal geschehen ist, mit der einheimischen Bevölkerung fortan auf friedlichem Fusse verkehrt. Alles Begriffliche, was die Chinesen durch *tung* ausdrücken, trägt die Merkmale einer Ansiedlung von Jungmannschaften (*juniores*).

---

*) *Peyron, Grammatica linguae copticae* 29.

14. *li* / *kien* } *ta-šu* das Grossgemessene, d. h. das Bauerndorf, das zunächst von Weidetrieb (*šu* Milch) lebt, weswegen der Himmel wieder *kien* genannt wird. *Magna vis frumenti non statim succrescit; non habet multas vires:* die Auswanderer brauchen Zeit, um den Bruchboden in Ackerland umzuschaffen, und müssen sich mittlerweile von Viehzucht nähren. *Facit ut perveniat ad auxilium a coelo.*

15. *kwen* / *ken* } *kien* (*kian*) Schnaufland, zusammengesetzt aus bergigem (*ken*) Wildboden (*kwen*), ist mühsam, gleichsam in gebückter Stellung (*humiliter*), zu bearbeitendes (*kian* keuchen und Mangel leiden) Bergland (*terra in montibus*), dessen arme Besitzer, da sie keine Knechte, wohl auch kein Vieh, halten können, nur dann mit ihren Antheilen zu Ende kommen, wenn Einer dem Andern hilfreich zur Hand geht. *Cum non sit dives, utitur vicino.* Da *kwen* zugleich den Sinn von trocken hat, werden die Ansiedler das Wasser zum Begiessen ihrer Pflanzen mühsam herbeizuschaffen haben (*clamosa humilitas*).

16. *ćin* / *kwen* } *ju* Mittelpunkt, eigentlich Bergstadt, bildet den heitern (*gaudium*) Vereinigungsort (der Theil des Wagens, der die Last trägt, *jugum, jugerum*) für die zerstreuten Ansiedler; hier wird gekauft und verkauft, über den eingebrachten Ueberfluss „gejubelt", und zwar um so mehr, als an der Stelle zugleich die Gerichtsstatt liegt, auf der Jedermann Recht erhält, der ein Unrecht erlitten zu haben glaubt. *Ut lapis jurisdictio* (*jü* Jaspis, Auszeichnung des Richters).*)

---

*) Der Onyx oder gestreifte Chalcedon theilt mit dem Jaspis die Vereinswürde: das Mädchen trug ihn im Haare als Abwehr des Bösen (Verführung), der Jüngling als Armring zur Stärkung seiner Tapferkeit.

17. ☱☲ *tui* / *ćin* } *sui* Dammland (Wasserstadt, *detentio*), für dessen Bevölkerung die Benutzung des Canalwassers die Hauptsache. Wie anderwärts, so ist auch im Chinesischen *su* die Wurzel für das flüssige Element und Corollar von *sus* (Schweinezucht).

18. ☶☴ *ken* / *śuen* } *ku*, in der Zusammensetzung Bergwind, dürfte als *kŭ* zu lesen sein, obschon in letzter Instanz beide nothwendig zusammenfallen. Anstrengende Arbeit, jammervolles, mit Abgaben beschwertes Dasein sind jedenfalls in *ku* enthalten, daher das wiederholte *infortunium patris et matris,* und da *ku* bäurisches Wesen, *kŭ* Kuhstall bedeuten, so steht nichts im Wege, das kümmerliche Loos von Kuhhaltenden Besitzern darunter zu verstehen. Es kann an Beschwernisse verschiedener Art (*curam habet infortunii*) gedacht werden, wofern nicht der Satz in der Ueberschrift: *tertia dies ante kia, tertia dies post kia* entweder auf die Ausstattung des Sohnes — *kia* dem heirathsfähigen (zwanzigjährigen) Sohne die Kappe aufsetzen — oder auf seine Ausrüstung zum Militär- oder Polizeidienst — *kia* Soldatenmütze und Lederkappe zum Schutze des Knies — bezogen sein will.

19. ☷☱ *kwen* / *tui* } *lin* Steuerablieferung (*veniunt*) auf den „Kasten" (Kornspeicher) von Seiten der *linarii*, und zwar dem Anschein nach in der Vereinsquote von fünf zusammengehörenden Familien (*lin*). Das richtige Einhalten des Ablieferungstermins dürfte gemeint sein durch: *Dum pervenerit ad octavam lunam, erit pessimum.*

20. ☴☷ *śuen* / *kwen* } *kwan* obrigkeitliche Aufsicht (*videre*), wobei die Verwandtschaft mit *quaerere* und *quaestor* nicht abzuweisen sein dürfte. Als *swan* gelesen stellt *śuen*

den die Herde umkreisenden Hund vor (Schwan = Greif), daher *kwan* einen Beamten, der die Uebelthäter festnimmt und in Gewahrsam bringt, bedeutet.

21. ☲ *li* / ☳ *ćin* } *śi-hŏ* Leichenverschluss (Sarg), und zwar während der kürzeren und längeren Zeit, dass der bekleidete Leichnam (*śi*) zu Hause aufbewahrt und mumienartig getrocknet wird. So verstehe ich das *tabulatum collare* und *carnem siccatum mordere;* das *flavum aurum possidet* dagegen könnte den Schmucksachen gelten, womit die Leiche herausgeputzt wird.

22. ☶ *ken* / ☲ *li* } *pei* Beerdigung, Beisetzung (einen Erdhügel aufwerfen), wobei *concinnare**) das Nebeneinanderlegen verstorbener Verwandten ausdrückt.

23. ☶ *ken* / ☷ *kwen* } *po*, enthalten in *pompa***) und *posteritas*, kann man kaum anders als von dem Leichengepränge oder Geleite (*series piscium*) verstehen, und lässt der Name für alte Mütterchen (*po*) vermuthen, dass Klageweiber damit gemeint sind. *Sapiens habet currum* meint entweder, der Mandarin werde auf einem Leichenwagen hinausgefahren, oder er folge der Leiche in seinem Wagen.

24. ☷ *kwen* / ☳ *ćin* } *fu* weiland, d. h. Ahnenverehrung, als *fŏ* „gewesen", das Gegentheil von seiend und insofern Negation. Der Todte hat von keiner Krankheit mehr zu leiden (*nullum habet morbum*); an seinem Grabmal versammeln sich die Freunde (*amici veniunt*), denn er kam nicht an den Ort der Qual (*non pervenit ad poenitendi locum*) und

---

*) *Concinnare* ist aus *ćin* (Zinn) gebildet: zusammenlöthen.

**) Der Name *Pompejus* enthält den Rechtsanspruch der Gens auf ein feierliches Leichengepränge.

aus der kleinen Entfernung umschwebt er fortwährend die Seinigen (*non remotus rursus redit*). Cult der römischen Manes.

25. ☰☱ *kien* / *ćin* } *U-wang* Weheherrscher, d. h. städtischer Tyrann: *infra muros degentibus est infortunium. Uh* ist = *væ* und *wang* (*vang*) = *dominus*, zugleich, wie *swan* (eilender Hund), die raschen Griffe der Executivgewalt anzeigend. Man kann nicht umhin, chines. *kien* an unser „Kien" zu reihen und dahinter einen „kühnen" Tannenträger (Langobarden) oder (engl.) *thane* zu suchen, der unter der friedlichen Bevölkerung durch seine Erpressung grosse Verwirrung (*perturbatio*) anrichtet. *Incultum solum non vult colere* verräth einen Lanzknecht, der lieber durch Bedrückung sich bereichert, anstatt seine Worthe zu bebauen.

26. ☶☰ *ken* / *kien* } *ta-ćo* oder *ta-hio* Herdenthiere im Hochland (Berghimmel);*) *ćo* zunächst Schweinezucht (*ćo*), dann aber Zähmung aller möglichen Hausthiere: *Porci dentes obtundit. Juvenem taurum jugo reprimit. Bonos equos cursu probat.*

27. ☶☳ *ken* / *ćin* } *y* (*i*) Kinn, *goth. kuni, ahd. chunni, gens, genu.* Die unter *y* verstandenen neun Berge, von den Chinesen hochverehrt, lassen, da auch Ameisenhaufen damit gemeint sind, das verwandtschaftliche und nachbarliche Beisammensein deutlich durchblicken, namentlich auch den Schutz, den das Individuum da findet, wo man Rücken an Rücken steht, wie denn auch im Lateinischen alle Aus-

---

*) An den chines. Wurzelzeichen allein schon hat man den Beweis, dass *h* strengstens nach der „Höhe" weist: *ho* Feuer und Getreide (πυρ, πυρος), *hĕ* schwarz (wolkig und rauchig), *hiĕ* Kopf, *hiuĕ* Blut (aufspritzend) und Höhle (die Hölle der germ. *hel*), *hiang* Höhrauch, Weihrauch, *hiuen* Himmelbläue (engl. *heaven*), *hoang* gelb, *hiu* innere Thür, weil sie im obern Stockwerk sich befindet.

drücke, die mit *mentum* zusammenhängen, *mens, mensa* (chines. *ki*), *mensis*, *mensio*, *mentiri*, *mentor* (Gefäss von getriebener Arbeit) sich auf „Minne" zurückführen lassen. *Mentum in monticulo constituit:* die Sippe hält ihr Gericht auf einer Anhöhe.

28. *tui* / *šuen* } *tä-ko* schwankender Ast, *lanx* und *palea*, d. h. die bürgerliche Waage der „Lange", aus der sie das ihnen rechtmässig Geschenkte langen, und der Latz (*laisus*), in den zu demselben Zwecke die Hälmchen (*palea*) geworfen werden. *Trabs ex parte depressa est:* in der Wagschale liegt etwas.

29. *kan* / *kan* } *kan* Brautwerbung, wobei allem andern voraus an die Hochzeit von Cana erinnert werden darf, denn hier wie dort bildet den Hauptbegriff die Weinkanne, wovon קֵן Gebauer, Häuslichkeit, קָנָא erröthen, erglühen, קַנָּא eifersüchtig, קָנָה die Frau kaufen (chines. *kan* bestechlich), קָנֶה Wagebalken (*lanx*), über deren Sinn kein Zweifel sein kann, so wenig als hinsichtlich folgender Glossen: *Ingreditur in profundum lutum* (der Liebhaber muss trotz Sturms und Regens dem Mädchen den Hof machen); *si roget paululum obtinet; vas, in quo includitur vinum, est kwa* (Kürbis), *nomen mensurae frumenti; ad augendum* (beim Messen des Pretiums) *scypho utitur; sponsorem per fenestram recipit* (Fensterln); *kan non impletur; ad alligandum trium torulorum fune utitur; super spississimas spinas quiescit* (wahrscheinlich im Frauengemach); *ante tres annos non parcit* (wird nicht erhört).

30. *li* / *li* } *li* Rekrutenaushebung, Einkleidung in den leinenen oder Sachsenrock (*li* Unterfutter). Für den Ausgehobenen ist es ein Glück, wenn er seiner Strohwittwe (*li*) eine milchende Kuh zurücklässt: *Si lactariam vaccam*

pascit, hoc bonum. Damit die Rekruten nicht entweichen, werden sie gebunden: *Pedes inextricabiliter sunt impediti; lacrymae ex oculis impetu decidunt.* Wer tüchtig gefunden wird, kommt zur Garde unter den gelben Drachen (*Flava lux, magnum bonum*) und des Königs eigenen Oberbefehl: *Rex exeuntibus militibus utitur; praeclaros separat, illos* (den Ausschuss) *socios non assumit*

Damit soll es hier sein Bewenden haben, jedoch nicht verschwiegen werden, dass mehrere der folgenden Kuas dem Erklärer grössere, wenn auch keine unübersteiglichen, Hindernisse bereiten. Völlig durchsichtig ist auf Grundlage der bisherigen Untersuchung das chinesische Schriftsystem, das in seinen verwickeltsten Figuren sich auf die sechs einstrichigen Wurzelzeichen zurückführen lässt. Des ersten derselben: — wurde bereits mehrmals gedacht und bedarf es nur noch des Zusatzes, dass aus dem untergeordneten Worte *ting* (Stachel) die phallische Natur des Zeichens, wie seine Verwandtschaft mit (lat.) *tinguo* gefolgert werden darf. Der horizontale Strich, in einen vertikalen verwandelt | und *kwan* gelesen, meint die aufrechte Stellung im Allgemeinen, statt des liegenden einen eingerammten Pfahl, die Selbständigkeit, wozu das männliche Individuum mit 20 Jahren, wenn ihm die Kappe aufgesetzt wird, gelangt, im Leben jedoch die Beamtenstellung, die sich füglich mit einem Thürpfosten (*kwăn*) vergleichen lässt. Dem Zeichen untergeordnet findet sich *ja* Ast, der die Zweige fest hält und in seinen verschiedenen Derivaten das Wurzelwort von Allem, was mit *jugum* und *jus* (ass. *juku* Volk, soviel als Ionier) zusammenhängt, bildet. Die beiden Zeichen sind wesentlich substantivisch, und zwar — mehr im neutralen, | mehr im activen Sinne, jenes ein Liegendes, dieses ein Stehendes, beide als grade. So wenig es den Chinesen, in den Fesseln ihrer ganz verkehrten Schriftsprache, gelingen wollte, sich klar und bündig mit Hauptwort und Zeitwort auseinander zu setzen, so vermochten sie wenigstens der allgemeinen Sprachvernunft nicht auszuweichen, um eine ungefähre Antithese beider herzustellen. Die dritte und die vierte Schriftwurzel haben beziehungsweise verbale Geltung: 丶 (*ću*), unser Vorwort „zu", enthält die Bewegung des niederfallenden und zur Ruhe gelangenden Punktes, mag dieser als Tropfe, Pfeilspitze oder Flamme vorgestellt werden, und mit den vielfachen Zuständlichkeiten, die das Deutsche durch zu ausdrückt. Man möchte es classisch heissen, dass die Chinesen die Spinne, die sich an ihrem Faden herablässt und hängen bleibt, *ću* nennen: „Ein Punctum machen", was allein nach vorhergegangener Strichbewegung möglich ist, enthält ziemlich Alles, was *ću* an anschaulichen Momenten bedeutet, und schon darum empfiehlt sich die Annahme eines verbalen Kommas oder Haarstrichs (*coma*), der die intransitive Bewegung von *ću* in die transitive hinüberleitet. Das Zeichen 丿 drückt eine spreizende, spreitende und gekrümmte Seinsweise aus, gleichviel ob mit Flügel, Hand oder Fuss, somit in activem Sinn; und obschon die Lexikographen dasselbe *peĭ* (rechtsgebogen) nennen, was mit *piĕ* (stossen, fliegendes Gewand) in nächster Beziehung steht, so wird man dessen ungeachtet richtiger fahren, wenn man es auf *j*, was niederreichen ausdrückt, zurückführt, und *j* für eine Nachbildung desselben hält. Gleichwie das Komma zugleich verknüpft und trennt, enthält 丿, so oft es in Zusammensetzungen vorkommt, den Werth eines Verbindungs- und Vermittelungsstriches, sogut in *y*, das, *urlh* gesprochen, Kind bedeutet, als in *urlh* und, sodann zwei. Aber eben darum entbehrt 丿, gleich 丶, obschon in einer andern Richtung, der Selbständigkeit: *y* zweihändig enthält die Möglichkeit zu einer Menge transitiver Bewegungen; um sie jedoch zu verwirklichen, bedarf es eines richtenden Vermögens, das dem Organ an sich nicht zukommt. Noch anschaulicher als durch die Hände findet sich der transitive Verbalbegriff angezeigt durch das gekreuzte 丿 oder Scherenzeichen (乂), dessen Hebelarme durch sich selbst nichts verrichten, sondern zum Zerschneiden von aussen in Bewegung gesetzt werden müssen. Sehe ich recht, so hat sich das Zeichen im Buchstaben X (x) erhalten; jedenfalls bildet es die Grundvorstellung für 又 Hand, die ihrerseits in *fu* (Vater) und *hiao* (Hexagramme des *I-king*), im Sinne von väterlicher und fürstlicher Gewalt (*manus*) enthalten ist. 文 meint eine Decklinie ziehen, überhaupt die Zeichen des *I-king* beschreiben.

Es genügt einfache Verdoppelung und weitere Vervielfältigung, um den begrifflichen Inhalt der vier einfachsten Grundzeichen beträchtlich zu erweitern. So wird aus dem als individuelle, jedoch gemeine, Einheit vorzustellenden — durch Verdoppelung ═ Zwei, durch Verdreifachung ≡ drei, was dem Schematismus der Kuas genau entspricht. Ein blos verdoppeltes oder verdreifachtes |, also || und |||, kann es darum nicht geben, weil der wagrechte Hauptstrich, lothrecht gestellt, den Vorsteher und Leiter einer beliebigen Anzahl von gemeinen — anzeigt, zwei oder mehr solche Beamte aber, einfach neben einander gestellt, keinen Sinn geben würden, weil keiner über den andern hinausragt; wohl aber steht einer derartigen Parallelstellung innerhalb einer entsprechenden Figur nichts im Wege. 皿 bedeutet Essgeschirr (*mung*, weil es eine Menge von Nahrungsmitteln für Frösche enthält), und wurde gebildet aus □ (Mund und offener Verschluss: *hwui* Bettelsack der Buddhapriester) und ||, zwei mittlern Parallelstrichen, die nichts anders besagen wollen, als dass eine Anzahl Menschen, die rings um die Schüssel Platz nahmen, das gleiche Recht haben, sich daraus satt zu essen, wie dies bei der *gamelle* der Soldaten und Mönche, überhaupt aller Frösche, der Fall. Mit einem Bewegungsstrich vermehrt, 血, bedeutet die Schüssel eine Schaale mit flüssigem Opferblut, indem das Lautwort dafür:

hiuë als Haufe, Anhäufung des Blutes im Körper, das bei Verwundungen in die Höhe spritzt, gedeutet werden muss.

Das Zeichen 丶 verdreifacht 巛 drückt die unbedingte Vielheit gemeiner, darum unselbständiger Leute aus, gleichsam einen Haufen Reis, wovon das einzelne Körnchen genau so viel und so wenig werth ist, als jedes andere unter der Menge. In der nämlichen Weise vervielfältigt wurde 丿 zum Gefieder 彡 (drei Federn); indess legt es die vernunftmässige Analogie von selbst nahe, ein weit wirksameres Mittel zur Erweiterung des begrifflichen Inhalts bei diesen beiden Zeichen, deren Form es zulässt, in der Abänderung der Richtung zu suchen. In der That verbindet der Chinese mit 乀 die Vorstellung der Linkskrümmung (*nä*, auch *fu*), die sich der Rechtskrümmung unterordnet und am wahrscheinlichsten eine Nase anzeigen soll, da *na* den Nasenring der Pferde bedeutet, ausserdem das Enganliegen (so die Kleidung der Buddhapriester) und Zusammengedrängtsein innerhalb (*nä*) eines beschränkten Raumes (*nä* sammeln, hämmern, quetschen). So entstanden durch einfache Zusammenstellung drei Wurzelzeichen, die sich ganz ähnlich sehen und im Grunde auch weiter nichts sind, als Modifikationen einer und derselben Hauptvorstellung. 人 (*śin* Mensch) zeigt einen Ausschreitenden (zweibeinigen), mit dem individualisirenden Längsstrich darüber 𠆢 einen Einzelnen, darum Verlassenen: *ćwa*, s. v. a. שָׁוְא und שָׁוְא (nichtig und flüchtig), eine biegsame Gerte. Festgehaltene Schreitorgane heissen Zehen (*ćao*) und Klauen: 爪. Verdoppelt, 仌, erhält das Wurzelzeichen die Bedeutung von Eis oder Gefrorenem, wofür sich nicht sobald eine zusagende Erklärung finden liesse, wenn das Lautwort dafür, nämlich *ping*, nicht auch den Sinn „zu zweien“ hätte. Ist 人 etwas, was davonläuft und verschwindet, so stellt das Doppelzeichen die auf dem Wasser schwimmenden Eisschollen vor, die mit dem Wasser, in das sie sich ohnedies früher oder später auflösen, verschwinden. Umgekehrt, gleichsam von rechts nach links schreitend, erscheint das Zeichen als ⋋ *ši* einziehen, sich versammeln, eine linke, darum friedliche Vereinigung zu gemeinsamer Arbeit, da *ši* zugleich Werktag, Werktagskleid und Karrengaul ausdrückt. Die acht Personen, die durchschnittlich in der Weise sich vereinigen, stellt ⋋ (*pa*) vor: Breiesser, mit dem Hakenzeichen darunter ein Hakenverein. Dass die Behausung zuerst in einer bescheidenen Hütte bestand, wird durch das a c h t t ä g i g e Laubhüttenfest der Juden (עֲצֶרֶת) bezeugt. Der bewegliche Haken wird gebildet durch ein schiefgestelltes |, das auf — ruht, letzteres mit dem beweglichen Zehenzeichen ⊿. Mit dem Verringerungszeichen wird daraus ein Häkchen oder Kind ⊿. Derselben Anschauung entspricht es, dass das Häkchen, mit einem Deckel ⊥ (*tow*) überzogen, sich in Himmelblau verwandelt, weil nichts beweglicher ist als die Lichtstrahlen unter dem Himmelszelte, sodann dass Rinne und Wasserstreifen durch < , fliessendes Wasser durch ⟨⟨⟨ , somit durch halbgebrochene Linien, versinnbildlicht werden. Man hat nicht die geringste Mühe, in A einen beweglichen aber ruhenden Haufen (*ta*, franz. *tas*), das Vorbild für etwas Grosses, zu erkennen und die analogen Beziehungen zu ⅄ (Himmel), ⅄ (Pfeil), ⅄ (Kleider) herauszufinden.

Schon an der Diminutivform des Häkchens ist ersichtlich, dass \ verschiedene Gestalten annehmen und mancherlei Verbindungen eingehen kann, denn V ist zusammengesetzt aus / und \, aus Flug- und Fallbewegung. Den Begriff allseitiger, in allen möglichen Richtungen verlaufender und sich begegnender Beweglichkeit enthält das Schriftzeichen für Herz ,ᐯ\ ; in und um das empfindsame Ding zappelt und läuft es wie in einem Ameisenhaufen, und hat man sich namentlich unter V zwei sich begegnende \ zu denken. Höchst sinnig wurde das Zeichen ⊥ (Deckel) mit zwei conträren Prädikaten ausgestattet, um eine Bedachung, die zugleich beweglich und ruhend ist, auszudrücken. In [glyph] (bedecken) und [glyph] (Bedachung) meint ʝ die Wandelbarkeit, ▲ die Festigkeit der horizontalen Linie: das Dach ist etwas Relatives, wie die Kopfbedeckung, die festsitzt, so lange man sie aufbehält. Das Wort für [glyph] *mie* bedeutet flechten, das Wort für [glyph] *mien* vom Kopfe herabhängen (wie eine Mütze), und daraus entstand der Ausdruck der (beweglichen) Miene (chines. *mien* Gesicht, Mienenspiel), ursprünglich die Thiermähne, das Vorbild für die Verflechtung der Minne. Lehrreich für die Entstehung der Buchstabenschrift ist es, dass die Zeichen V und W dem *v* und *w*, somit der Vorstellung von *vertere* und wenden entsprechen. So ist [glyph] (Kleider) nicht sowohl als *i*, sondern als *vi* (was sich wenden, aus- und anziehen lässt) zu lesen, was gleicher Weise vom *I-king* (*Vi-king*) gilt, und der Wegfall des *v* gerade so zu erklären, wie ein abgestossenes Digamma. Das bask. ⊙ ⊧ (*oe* Bett) wird wohl dem chines. *i* (*vi* Kleider) entsprechen und *Foe* zu lesen sein. Das Zeichen [glyph] (*ken* Grenze) ist zusammengesetzt aus [glyph] (Thürflügel) und W: was sich wenden, auf und zumachen lässt, zugleich die Stelle, wo man wenden, umkehren muss. Unter einer festen Bedachung ([glyph]) verwandelt *ken* sich in eine Tischgesellschaft (*ši* speisen). Ohne Wendung und Drehung ist W undenkbar, daher das Zeichen für Seide durch den Beisatz [glyph] zu einem Leinenzwirn wird. Das Holzzeichen, durch [glyph] erläutert, meint die Angel einer Hausthüre.

Damit sind bereits alle Zeichenelemente zur Herstellung der chinesischen Schriftsprache gegeben; die chinesischen Schriftgelehrten reihten jedoch den vier einstrichigen Zeichenwurzeln noch zwei weitere an, die nur uneigentlich den Einstrichen beigezählt werden dürfen, ihrem Sinn nach aber allerdings Anspruch auf die Bedeutung einfacher Classenhäupter haben. Bezeichnet — (*i*) einen ruhenden Balken (zugleich den Stachel oder Phallus des Viehs), so deutet 乙 (ĭ) den Kuhschwanz an, und zwar als Vorbild einer Verschlingung und eines Verschlusses, so dass angegebener Massen 一 die inviduelle, 乙 die generelle Einheit (Ganze) bezeichnet. Vermehrt mit einigen weitern Merkmalen erlangt ĭ die Bedeutung von s t a r k. Man hat vollen Grund anzunehmen, das ○ als leerer Verschluss damit gemeint ist, ein stielloser Löffel, der mit dem Stiele die Gestalt von 匕 (*pi*) annimmt und in der Gestalt einem Wagen gleicht, da er mit einem 𠂉工 darüber die Bedeutung von fahren und tragen erhält. Von dem Berufe des Löfflers ist das Fuhrwerk 車 (*ce:* Ziehkarren) unzertrennlich. Die beiden ĭ gewinnen so den Sinn von Paar oder Paarung, männlichem und weiblichem Geschlechtsorgan, wofür sich noch besonders anführen lässt, dass im alten Denar 乙 gleich 2 und dem abgekürzten Pharaonen-Hähnchen 2 ähnlich ist, das mit — darüber (2̄) im Hieratischen den Plural (Zopfverbindung) anzeigt. Das demot. **10** (Haus) dürfte eine Combination der beiden chines. ĭ sein und z e h n Hausgenossen ausdrücken. Mit dem Schreitezeichen ausgestattet (九) wird aus 乙 eine Neune, neun gemeine Zöpfe, denen es an einem Führer gebricht. Zur Unterstützung der oben aufgestellten Uebereinstimmung von neun und nein dient es, dass die Chinesen durch 无 (*wu*), eine bedeckte Neune, verneinen. Die Neune ist „ohne", nämlich ohne den Zehnten, wie die Ziegel, die auf keiner Latte ruhen. Selbständig und keiner weiteren Führung bedürftig erscheint das Zeichen in 七 7.

Zur Aufklärung der chinesischen Geschichte kann es Einiges beitragen, dass das nunmehr ungebräuchliche Schriftzeichen für Mensch: 儿, als 兀 Tischgenossenschaft, erst mit der Mongolenherrschaft einheimisch wurde, da die Mongolenkaiser des 13. und 14. Jahrhunderts sich 兀 schrieben, die Allerhöchsten, denn 兀 bedeutet hoch und hehr, 儿 aber auch die Beine abhauen, mit dem Tode bestrafen. Die Bezeichnung für Abendland 西 drückt vierzig Menschen im Verschluss (Gefängniss) aus, und wird *jeu* gesprochen als hilfreiches Beisammensein in einem umzäunten Garten; da aber unter 酉 Gegohrenes verstanden werden muss, so bleibt, um sich mit so seltsamen Analogien leidlich auseinanderzusetzen, wohl nichts übrig, als die Zehn, die das Zeichen im alten Duodenar bedeutet, sich als gemeinsame Kelterer und Zechbrüder vorzustellen.

Bilden 一 und 乙 ein Paar, so lässt sich das Gleiche von 丨 und 亅 sagen: 亅 ist ein hakenförmiges 丨, wie 乙 ein bezopftes oder geschwänztes 一. Der haltende Haken heisst *kiuĕ* und bedeutet zugleich einen Ringhalter und Bogendrücker; sein Zahlenwerth beträgt 4 (方 *fang*: Viereck), sein Begriffswerth heisst Cirkelbewegung, veränderliche Kreiseinfassung. Wenn 冂 die Bedeutung von Horizont und Wildniss hat, so erinnert dieselbe an den Kreis, der sich mit einem Cirkel grösser oder kleiner beschreiben lässt. Mit beigesetztem Zeichen des Weibes entsteht ein mit Flüssigkeit gefülltes Rund [illegible] Milchbrust. 勹 meint Kreisumwicklung, Drehbewegung, hier, wie bei den andern mit 亅 zusammengesetzten Zeichen, eine thätige Wirksamkeit des 丨, insbesondere Amtsthätigkeit, ausdrückend. Es ist aber nicht zu verkennen, dass durch den Haken zugleich Gewächse (韭 Lauchstengel) angedeutet sind, die besonders gezogen werden und mit ihren Wurzeln im Boden festsitzen, bis sie, zur Reife gelangt, ausgerauft werden. Das älteste Schriftzeichen für Reis (*mi*) 米 stellt eine solche Staude mit hin und her schwankenden und abwärts hängenden Körnern vor, womit es genau übereinstimmt, dass zwei Haken neben einander und mit dem Flugzeichen versehen Flugfedern, die nur festsitzen, nicht angewachsen sind, ausdrücken. Nicht anders verhält es sich mit den Backenzähnen. Die Feldmark (田) mit einem Haken (甲) negirt, weil Unbeweglichkeit und Unveränderlichkeit ihr eigenstes Wesen ausmacht; gehakt käme sie einem hölzernen Schüreisen gleich, da das Grundeigenthum nicht dem jeweiligen Inhaber, sondern als eiserner Stock der Familie gehört. Gleich verkehrt und nichtig ist die Verknüpfung eines Schreitenden mit einem Stehenden, 非, wenn ein jeder seine Organe in entgegengesetzter Richtung ausbreitet; wohl aber ist 廾 darreichen möglich, weil allein der Darbietende die Hand zu bewegen braucht, gleichwie beim Ziehbrunnen 井 der eine Eimer zu ruhen scheint, indess der andere arbeitet. Das reine Nicht enthält 不: der gestützte und ruhende Fuss mit doppelter Fallbewegung. Unter den Elementen negirt das Wasser (*mŭ*).

Alle chinesischen Schriftzeichen ohne Ausnahme sind aus diesen sechs Einstrichern zusammengesetzt, in welche selbst die siebzehnstrichigen sich auflösen lassen. Die inhaltsreichste Verknüpfung besteht zwischen den beiden ersten Wurzelzeichen, denn + (× = Zehn) bildet den Grund- und Eckstein der gesammten social-politischen Weltordnung. Der abstracte Mechanismus der Tausende von Zeichen, die weder Bilder noch Buchstaben heissen können, enthält den wahren Grund für das Stehenbleiben des Chinesischen auf dem Standpunkt der Kindheit, und insofern war der verhältnissmässig frühe Gebrauch der Schrift für die Hunderte von Millionen Menschen, die sich derselben fortwährend bedienen, nicht nur kein Glück, vielmehr ein grosses Unglück, weil sie sich dadurch des Antriebs, auf einen gewissen Grad selbst der Möglichkeit, beraubt sahen, den für die Sprachentwickelung kritischen Punkt zu erreichen, zwischen Hauptwort und Zeitwort eine feste Grenzlinie zu ziehen und nach glücklich vollbrachter Scheidung auch den übrigen, mehr untergeordneten, Sprachelementen ihr selbständiges Recht und ihre eigenen Formbildungen zu Theil werden zu lassen. In einem Staatsleben, das durch die Knotenstränge der Herrschergewalt seit unvordenklicher Zeit in unabänderlichen Cirkellinien festgehalten wurde, musste schon sehr frühe das freie Gestaltungsvermögen so gut als ganz ausgehen und die frische Unmittelbarkeit der Anschauung in den gekünsteltsten Abstractionen sich verlieren. Selbst von der Agglutination wurde ein so überaus spärlicher Gebrauch gemacht, dass dieselben Anhängsel bei jedem Sylbenwort in derselben Weise und mit derselben Grundanschauung wiederkehren, wodurch die Sprechenden in die unumgängliche Nothwendigkeit versetzt wurden, für den mit der zunehmenden Gesittung steigenden Bedarf von Benennungen neuer Begriffe die fehlenden Mittel in der fortwährenden Anhäufung analoger Vorstellungen unter einem und demselben Lautwort zu beschaffen. Abgesehen von leichten Tonmodulationen können die Sprechenden endloser Verwirrung allein dadurch vorbeugen, dass, sobald ein Laut die Gehörsnerven erregt, im Bewusstsein sozusagen das ganze Register der analogen Vorstellungen gezogen wird, was dem gemeinen Manne insofern erleichtert wird, als in seinem Wörterschatz sich eine Menge gleichlautender Wörter gar nicht vorfindet, weil er ihrer nicht bedarf. Dessenungeachtet bleibt das Verstehen chinesischer Rede mehr oder weniger immer ein Errathen. Für das Agglutinationsverfahren soll hier aus dem Schatze der übrigen Laute das Milch-*l* herausgegriffen und nach seinen verschiedenen Anhängseln geprüft werden. *La* ist die Wurzel zu lat. *latus* (*fero, tuli*), denn es bedeutet tragen, schleppen, ziehen; *lă* enthält als Grundvorstellung die Gebundenheit und ist enthalten in *labo, labor, labrum* (Lippe und Becken). Die Zustände, die zum Binden Anlass geben, sind Ungebundenheit, Ausgelassenheit, Verkehrtheit; gebunden fühlt sich, wer eng anliegende und darum geringe Kleidung trägt, die ihn unangenehm am raschen Gehen hindert; gebunden, im Vergleich zu einer Flüssigkeit, ist aber auch die Mehlsuppe und das Wachs, und dass die Zeit nach der Wintersonnenwende durch *lă* bezeichnet wird, hat wohl den Sinn, die Milchleute seien fortan durch die Feldarbeit gebunden oder festgehalten. Ist die Winterzeit darunter zu verstehen, so stimmt dazu der unfreiwillige Aufenthalt zu Hause, das in das Zimmer Gebanntsein. *Li* (*λι*, **λις*, Lein, finn. *lîna* Leinwand) enthüllt seine Merkmale am ausdrucksvollsten in *ληγω*, *ligo*, liege, ebenfalls ein Binden und Gebundensein, jedoch in der erwünschten Form eines geordneten Gemeinschaftslebens in Familie und Dorf. Das Zurückgehalten und Gebundensein ist auch der Sinn von *li* (Zaum und Gebiss, Rippen, die den athmenden Lungenflügeln als Wall dienen); *lo* deutet auf einen parasitischen oder Kreuzungszustand, der durch *locus* (Loch) die Beschäftigung von Lochern, Bestockern (Lotus- und Lolchpflanzern) errathen lässt. Man hat es hier weder mit einem Weidetrieb, noch mit einer Ackerwirthschaft zu thun, vielmehr mit einem Mittleren, das auf der Grenze beider steht. Ist es erlaubt, in solchen Dingen das Zeugniss einer jüngeren und zugleich ohne Vergleich gebildeteren Sprache, wie der griechischen, zu Hilfe zu rufen, so würde *lo* unter allen Umständen von Flüssigem, in der Regel Gegohrenem, ausgesagt worden sein. Im Griechischen ist es die Trauben- und Weinröthe, die in *λωστος*, *λοβος*, *λοφος* zu Grunde liegt; *λοξος* (Torkler), *λορδοω* (ital. *lordare*), *λοιδορεω* sind Merkmale des Zechers, der lichterloh (wie Lohe, als Hohenloher) brennt. Weil das Flüssige nirgends Bestand hat, so negirt es (לֹא): das לֹג (Mass für Flüssigkeit, engl. *log*) läuft durch die Gurgel (לֹעַ) und verschleiert (bezaubert לוֹט) die Sinne. Zugleich ist לֹט wohlriechende Essenz, von der sich recht wohl annehmen lässt, dass sie getrunken, wenigstens unter den Wein gemischt wurde. Ausserdem standen die Weinbauer und Destillateure von jeher im Rufe guter Rechner (*λογος*, *λογας*, *locuples*), die ihre Waaren anzupreisen verstehen (*logos, loqui*). Im Chinesischen lässt sich *lŏ* (Schaum, Rahm, der tatarische *kumis*, Brand, Lustbarkeit) in demselben Sinn deuten, und bei *lo* ist es fraglich, ob die Bedeutung von Mistel, Knollengewächs, brennen nicht auf den Anbau von Zucker-, folglich alkoholreichen Pflanzen bezogen werden darf. Die Bedeutung Niederung stimmt zu engl. *low*, dän. *lav*, und gehört zu *lohe* (Flamme), goth. *liuhan* (leuchten). Chines. *lu* enthält alle Eigenschaften der italischen Göttin *Lua*, der zu Ehren die erbeuteten Waffen feierlich verbrannt wurden; dasselbe bedeutet Ofen, Röhricht zum verbrennen u. s. w., die Hauptsache ist das Lichtmachen (*lux*) des Waldbodens durch Niederbrennen und Herstellung (*luctor*) von Salzland (*lu*), was zugleich den Sinn „gesalten" Grundeigenthums hat. So erklärt sich *lu* als der Schild (Friedensschild) am Stirn der Junke, zugleich der Name Luther, der einen Sitzer auf Salzland (*lu* schwarze Erde, wovon Melanchthon: Schwarzerd, Schwarzert). Es ist somit der Anfang einer Niederlassung auf Wildboden: finn. *luon* beginnen, *luotan* leiten (Loth), לין übernachten, verweilen, *λουω* reinwaschen (ausroden), finn. *luo* nebenan, *luhta* Sumpfwiese (*lutum*), *luko* Niederung, *lukki* Spinne, *lukku* Vorlegeschloss. Der Gott der *lu*-Leute ist *Loki* (*lupus*), finn. *luikki* Schleicher (Lügner, Verlocker), Anführer der Währwölfe (*lupus wargus*), die ausziehen, um irgendwo unangebauten Boden urbar zu machen. Ihre Ordnungszahl (finn. *luku, luen* rechnen, *λυω*) ist chines. *lu* 6, zugleich vereinte Kräfte, Holz fällen (finn. *louhin*), ausschöpfen, Unebenheit, grün, Buchweizen, Damm, Salzgeschirr — Alles Bestimmungen, die auf dergleichen Niederlassungen eine ungezwungene Anwendung finden. Die Luhe sowohl als Lüneburg tragen davon ihren Namen: der

Ruf der Lüneburger ist לו (*utinam*): möchte es doch besser kommen, der Boden reichlichere Frucht tragen!

Als *lai* hat *la* bereits Bestand gewonnen: es ist das Zeitalter des *Lajus*, dem zu seinen Unglück Oedipus geboren wurde, und dessen Name einen Rechtsverein (*jus*) von *la*-Leuten, Laien, Leichfischen, Linken (**λαιος**) und Sichelschnittern (**λαιον**), bezeichnet. Unter dem Bilde eines gebundenen Schafs (*προβατον* des Prometheus) drückt *lai* den vom Himmel herabgeholten, d. h. durch den Pferch gewonnenen, Weizen, zugleich einen Wohlthäter seiner Familie aus, der den Seinigen die Nahrung reicht und das Familienopfer darbringt. *Lau* alt und vernarrt sein in den Alt- oder Adelsbesitz;*) *lan* (*la* mit dem Nahezeichen, Lehne, engl. *lane*, die Lahn als Grenzfluss) hat seine anschaulichste Bedeutung in Treppengeländer und Einmündung zweier Flüsse; der Grenzfaden aber ist aus *lana* gedreht, mit all den Beziehungen, die im Nexum enthalten sind. Die Sache ist aber die, dass in China die Lahnleute (Lehnert) noch auf einer ziemlich niedrigen Stufe stehen: gierig, betrügerisch, verdächtig, zerlumpt, schlaraffig (dicker Reisbrei) lauten ihre Prädikate. Das zu *lan* hinzugetretene *g* (gen, gehn, Gegend) macht aus dem *lan* einen *lang*, genau in demselben Sinn, in welchem „Lang" mit *lanx* zusammenhängt. *Lang* ist Welle, Aussenthor, Nebengebäude, Halsband — der Sitzer auf dem Vorwerk; das Thier mit spitzer Schnauze aber lässt einen wachsamen Hund vermuthen.

Li zu *liĕ* erweitert hat theils den Sinn von λιαρος (lau), theils von ληΐς (Kriegs- und Jagdbeute), von letzterer zugleich in den Schlingen und Leinen, die dazu gebraucht werden.

---

*) Obschon engl. *law* durch ags. *leg*, *lyg* auf *lex* zurückweist, ist der Zusammenhang mit (chines.) *lau* und (engl.) *low* (niedrig) nicht abzuweisen. Die *l*-Leute bewohnen die Niederung und stehen unter der *lex*, bilden die *low-church*, denn die *high-church* thront als iranisch und evangelisch in der Höhe.

Lü meint sehnen- und strangartig Gewundenes oder Eingefasstes, *lien* Raddrehung, *liau* Selbander, *liang* Waage (Wagen), *liu* Kameradschaft (Bataillon), *lik* das um den Gerichtsplatz gespannte Seil, *liw* fliegendes und schwellendes Banner, *lin* Familienspeicher, *ling* schlingen. *Low* stimmt vollständig mit engl. *low* (gebückt) überein; *lui* mit finn. *luhi* (Niedergetretenes); *luan* mit finn. *luen* (rechnen, richten); *lun* mit *luna* (Rad, Geisterberg); *lung* mit Lunge (auf- und niedergehen, ein- und ausathmen) und finn. *lunkkân* (hin- und herlaufen, lungern).

Man sieht, wie unendlich weit das heutige Chinesische von seinen sinnlichen Ursprüngen absteht, und wie werthlos alle Deutungen der Wort- und Schriftsprache sind, so lange man von ihrer natürlichen Entstehungsweise keine Ahnung hat. Um zum Schlusse noch einen belehrenden Blick auf das Semitische zu werfen, will ich den Versuch einer systematischen Darstellung der hebräischen Vokalisation wagen, weil sie gerade für die Entstehung der Buchstabenschrift im Allgemeinen vom höchsten Belang ist. Davon muss von vornherein abgesehen werden, dass die Namen der hebräischen Selbstlauter von der Gestalt des Mundes beim Hervorbringen derselben hergenommen sind, da von einem mit zähester Beharrlichkeit an seinen Traditionen hängenden Volke nicht anders zu erwarten ist, als dass die Talmudisten des 7. Jahrhunderts christlicher Zeitrechnung die Benennungen für die Zeichen überliefert bekamen. Bei der ungeheuren Verbreitung, welche das äolische Digamma im Morgen- und Abendlande fand, empfiehlt es sich von selbst, gerade dieses Ϝ (äg. der, kopt. *fi*, *fai* = *ferre* und verwandt mit *fieri*) auch im vorliegenden Fall in Betracht zu ziehen, und bedarf es in der That keines besonderen Scharfsinnes, um in den beiden Vokalbuchstaben ו und י (*v* und *j*) ein umgekehrtes Γ und ר zu entdecken, die zusammen in *η* den aus Ruthe und Sack bestehenden

Phallus ausdrücken. ו vertritt die Stelle des reinen *u* und des unreinen *o*, somit des geschlossenen Sackes; י die Stelle des reinen *i* und des unreinen *e*, folglich der Ruthe. Das kurzschenklige Digamma *Chireq* (חִירֶק) wurde dem Stechen der Ruthe (*i, is, skr. ix*) nachgebildet und hat mit Knirschen nichts gemein als den Laut des „Fickens“ beim Fallenlassen der thierischen Auswurfstoffe in fester (חֶרֶא *Hρα*, חָרָא abgehen) und flüssiger (חָרָה *urere*) Gestalt. Weiterhin wird durch ק (*q*) das Verhältniss des Herkules zur Hera, nämlich das Aufreissen des Ackerbodens in חָרַק, חָרַץ, חָרַת (ritzen, kratzen, graben) ausgesprochen, unter Verwerthung eben jener Auswurfsstoffe. חִירָה ist ein Iranier, im Besitz von Adelsgut. — *Sureq* (שׁוּרֶק) theilt mit einem verschlossenen Munde allein die Eigenschaft, dass dem Schluss-*q* ein Surren (שׁוֹר) vorausgeht, das die menschlichen Sprachwerkzeuge nur bei geschlossenem Munde der Scharen oder Furchen (aram. Mauern und die Suren des Koran) aufreissenden Pflugschar, ingleichen der Schere bei der Schafschur (שׁוּר) nachzumachen im Stande sind. שׁוֹר ist das scharende Rindvieh der Scherer, das mit Riemen an den Pflug gebunden wird (זוּר), wie zur Strafe der frevelnde Scharknecht (זָר).

Die beiden semitischen *a*-Buchstaben, א und ע, entsprechen den zwei chinesischen *ï* (— und 乙) in der Weise einer Paarung, da א in den älteren Schriftarten die Hörner des Stieres (äg. *ah*), ע (äg. *au* Kuh), ursprünglich *ga* oder *gy* gesprochen, den weiblichen *gay* (mag. *gy*) oder die Milchkuh nicht verkennen lassen. Von äg. *au* ist es nahezu gewiss, dass *a—o* (*ah—o*: Stiers-*o*) damit gemeint ist. Was אֶלֶף (Stier) anbelangt, so bin ich überzeugt, dass es eine Zusammensetzung aus אָה (äg. *ah*) und לָעַב (weiss sein) ist und eine „Blässe“ (Apis) meint, d. h. Zuchtvieh, von dem bereits die Rede gewesen ist. Rationelle Viehzüchter, wie Herr v. Nathusius, werden es mir bezeugen, dass schon ein ordentlicher Grad von Scharfsinn dazu gehörte, um eine gemeine Kuh zu einer Melkkuh heranzubilden. Von den weitgreifendsten Folgen für die Gesittung des Menschengeschlechts ist die „Blässe“ dadurch geworden, dass לַעַב, zu לֵב (Herz) verkürzt, jene ungeheure Kategorie begründete, die in λειπειν, Leib, Laib, Liebe, Lippe, *læva* u. s. w. gewisser Massen den gesammten Organismus menschlicher Cultur umschlingt. Das einfache Vokalzeichen für *a* ist *Patach* -, übereinstimmend mit dem ersten chinesischen Classenhaupt und abzuleiten von chines. *pa* Damm, Turban, *pă* (8), einem Verein, der hinter einem und demselben Verschluss (*baculum*) und unter einem gemeinschaftlichen Lictorenstab (*bacillum*) lebt. Das תַח in פַּתַח ist unser Dach (*τεγος*, *tectum*), von חָוַח sich niedersenken, lagern, der Stamm für Tuch, womit die Zeltstangen bedeckt wurden. In חוח spalten, gabeln, liegt die Doppelseitigkeit der Bedachung ausgedrückt. Nicht wesentlich davon verschieden ist *Qamez* (ָ), auch eine gemeinsame Bedachung, aber nicht mehr unter einem leicht aufgeschlagenen und abgebrochenen Zelte, sondern festgeschlagen (ı = chines. |) in der Erde, somit als langer Vokal eine dauernde Niederlassung anzeigend. Nachgebildet wurde קָמֵץ dem Zeitwort קָמַץ (zusammendrängen), wovon קֹמֶץ (Bündel, *fasces*), קֹמֶץ (eine Hand voll, *comes*, *comitatus*, „Comisbrot“); allein auch die verwandten Zischlaute geben einen ganz identischen Sinn: כָּמַז und כָּמַת (verschliessen), כָּמַשׁ (einsperren, wovon Gamaschen als Fusseinschluss, Gamaschendienst). Nimmt man das *q* (Kuh) oder *k* (Verschluss) hinweg, so reihen sich an מַם (Spende) eine Menge Ausdrücke, welche der Bauernwirthschaft anheimfallen: מָזָה, מָצָה saugen, melken, מָזַר *miscere*, מִזְרָק Mischrachen, Opferschale, מֶזֶו Speicher (massiv), מָזוֹן Mehlspeise, מַטָּה Frucht, מִטָּה Mite, מַטָּה ausschütten, מַצָּה Fladen. Insgesammt hängen sie ab von *μοιτος* und *μετα* (Meth und Miethe) Solcher, die durch das gleiche Interesse verbunden sind (מְטָא), als

Mathise sich halten und stützen (מַטָּה). Das die Mitengenossenschaft umschlingende (מָזוֹר) Band steht unter der Obhut der Masoreten, gleichwie in Athen die Epheten (Binder), in Rom die Salier, in Deutschland die Salmänner den Friedensschild überwachten.

Eine Verengung enthält auch *Zere* (*e*), dasselbe Wort mit *Cære*, *Ceres*, *Zara*: צֵרֵי (..) ist franz. *zéro* (Null: 0), ein Verschluss, der nichts hinaus- und nichts hereinlässt. Die Grundanschauung bildet „zerren", reissen und binden (צָרַר: Czar, שַׂר), womit צַר eng, צְרוֹר Bündel, צָרָה einschneiden, צָרַע verwunden, in Verbindung stehen. Die Sehne oder der Riemen, womit der Czar bindet (*nodus*, Knut, Knute), heisst שֹׁר: zu ihrer Lösung bedarf es der Schere (שְׁרָא, wovon Scharade, wie Rebus von *reipus* oder Reif). *Quibbuz* (קִבּוּץ) verräth schon durch seine wunderliche Figur ⁝ (in der Keilschrift ⁝ Tropfen) einen gemachten (קָבַץ) Haufen (קְבוּצָה) von Gevodetem oder abgeschlagenes Wasser. *Cholem* (חוֹלָם) meint vorzugsweise die Kelle zum Abschneiden und die Keule zum Zerstampfen von Obstfrüchten, deren Flüssigkeit (מ) im Ohme (ם) aufbewahrt wird. Auf der einen Seite חָלַם zerstampfen, zerquetschen, *κελλω*, auf der andern *κοιλον*, *coelum, collum*, Kehle, כֹּל Ganzes, כָּלָא verspunden, קָלַע verschliessen, erschöpfen den wichtigen Begriff.

Von grossem Belang ist *Sgol* (∴ die drei Hauptpunkte des *η*), das (סְגוֹל) Taube als „Seglerin" der Lüfte bedeutet. *Sgol* ist Segel sowohl als Seckel und Siegel (Stempel: סָכַן Sahs, Steinhammer), סָגַל säckeln, einsacken, סְגוֹל Sackverschluss, Versiegelung (die Taube mit dem Oelblatt auf dem Siegel), זַג Quetschtuch für die kriechende Mostschlange, זָחַל Sichel (Hippe), סָבַל sich wie ein Trunkener betragen, enthalten ebenso viele Bezüge zum groben Segeltuch (Sackleinewand), in welches der spanische *Zagal* sich kleidet. Was durch den Sack (שַׂק) getrieben (זָךְ), geseigt (זְכָא, *saccharum*) wurde, das zeichnet sich durch Reinheit (זְכוּ) aus, treibt aber auch dem Zecher (Zech, Zacher) die Gluthitze ins Gesicht (שָׁחַן). Denn wo lustige Kannen (קֵן, Cohn, Kuhn) beisammen sind, da steigt der Wein zu Kopfe (·: קָנָ), es müsste denn sein, dass die Kanne blos Milch enthält. Unter allen Umständen macht der Cohn, der mit Flüssigkeiten handelt und nach flüssigem oder Handelsrecht lebt, als kluger Mann (שָׂכַל *sapiens*), der sich auf die Conjuncturen versteht (שֶׂכֶל), gute Geschäfte, denn Sichel und Hippe galten den Alten für Kennzeichen der Klugheit und des Gewinns (שֶׁקֶל, קָנָה besitzen, קִנְיָן Können, Vermögen). Lange freilich haftet der Profit selten in der Tasche des Flüssigkeitskrämers (*lucrifactor*): wie gewonnen, so zerronnen (שָׁקַק nässen); Alles läuft durch die Rinne (שֹׁקֶת) und eilt von dannen (שָׁקַד), wenn es auch erst beim Tode des Reichen geschieht, in Folge dessen das Vermögen zu gleichen Theilen unter alle *sui* vertheilt wird. Das Vertheilungsinstrument ist קָנֶה (Rebe, franz. *canne*, Wagebalken): die Waage, deren Schalen gleichgezogen oder gestellt (תָּקַן, תָּכַן) sein müssen, damit ein Jeder den ihm gebührenden Antheil (תֹּכֶן, engl. *token*) erhält.

Von den Halbvokalen ist *Schwa* das Eitle, Nichtige (שָׁוְא Schaf), weil es den wechselnden Weidetrieb (שָׁבָה schaffen)*) ausdrückt, womit der Aethiopier (שְׁבָא) sich beschäftigte. *Dagesch* (דָּגֵשׁ im Syrischen stechen) ist ein Abkömmling von דָּג (Aal, Ahle, Elle), im Sinn von Schaft, daher דָּגָן (Degen) in Halmen spriessendes Getreide. Dagesch ist der durch Degen, Pfeile, Wurfspiesse hervorgebrachte Punkt, ein flüchtiges, leicht verwischbares Ritzen, wogegen *Mappiq* (מַפִּיק), neben מַפָּח (Blasebalg, Mappe) einen kräftigen Schlag (מָפַץ zerhämmern, מַפֵּץ Hammer, Mappes, Martell) und heftiges Pusten (פח blasen, פּוּחַ pochen, פוט sich ärgern und roth

*) Es ist die ausziehende Sippe der Sieben (שָׁבוּעַ), die sich den Treueid (שְׁבוּעָה) geschworen haben, wonach der iranische *Sipehbed* und *Sipehdar* (Heerführer) benannt ist. Im Aegyptischen hat *kaschf* (?) den Sinn von Pferchschaf.

werden, wie ein Puter, in sich begreift. Dazu passt sehr gut פֶּה Mund, פוק bewegt sein (Puck, Spuck — lat. *pus* —, Spuk),*) פָּגַע packen, wovon *pagare*, das Dringen des Gläubigers in den Schuldner, des Grundherrn in den Zinsbauer unter der Form der *manus injectio*. Zahlt er nicht, so wird er gebunden, oder an seiner Statt ein ihm gehöriges Stück Vieh (פַּח Schlinge: Pech haben). Man sollte meinen, dass goth. *puggs* (Geldbeutel, Geldblase) denselben Ursprung hat. Hiernach kann *Mappiq* ein fester Schlag oder Stoss mit Hammer oder Pike (מִפְגָּע) heissen; aber suchen muss zuvor der Gläubiger den Schuldner, um ihn zur Abtragung seiner Schuld anzuhalten, wovon פָּקַד *pecus*, das gepackt und womit bezahlt wird, namentlich aber der Pakad im Tarokspiel, der vom Gegner gesucht und im Betretungsfall abgefangen und gepfändet wird. Tarok und Pochen müssen aus dem Morgenlande zu uns gelangt sein. Endlich der Feind von Dagesch ist *Raphe* (רָפָה): Raff, Rabe, Räuber, denn anstatt den Laut zu stärken und zu verhärten, schwächt es ihn, wie der Räuber das Licht, und macht ihn weich und flüchtig.

Im Arabischen begegnet man einer der hebräischen verwandten Vocalisirung und solchen Benennungen der drei Hauptvokale *a*, *i*, *u*, die über Entstehung und Bedeutung derselben erwünschte Belehrung geben. *Hamsa* ist das Zaum- oder Hanfzeichen; verbunden mit *fatha* (Faden, *futha* Sacktuch, väterlich) lautet es *a*; aber schon ein einfaches *fatha* über dem Mitlauter genügt dazu, und endlich thut *ja* (Jochzeichen) denselben Dienst. *Hamsa* mit *kesra* klingt *i*: der *gy* im ע, denn *kesra* ist das Kaiserzeichen (חור stark, חויר Eber) und muss kräftig ausgesprochen werden, wie *fatha* gedehnt. Auch *kesra* über dem vorangehenden Mitlauter klingt *i*, sowie das eigentliche *i*-Zeichen, das dem hebr. י

---

*) *Pak* (Lumpenpack) im Demotischen, *phôk* im Koptischen, ähnlich lat. *pallium*, beruht auf der Vorstellung einer bewegten, im Winde fliegenden Umhüllung.

entspricht. Der *u*-Laut wird entweder durch ein *hamsa* mit *damma* (*domus*, Dom, Kuppeldach), oder durch das Dama über dem Mitlauter, oder endlich durch *wau* (hebr. ו) ausgedrückt. Unter den beiden Hauptsprachen Nordafrika's, dem Berberischen und Kabylischen, ist jenes die Barbaren- oder Bauernsprache und stammt nach *Ibn Khaldun* von *Berr* (*puer*, Bauer) ab, muss daher von den Barbarenvölkern gesprochen worden sein, über die Augustin sich äussert: *In Africa barbaras gentes in una lingua plurimas novimus.* Bis zum heutigen Tage wird das Berberische von Tetuan bis an die Grenzen Aegyptens und von Algier bis zum Senegal gesprochen. Von den beiden Hauptzweigen, in die es sich theilt, ist das *Mardris* die Sprache der Marder und Marssöhne, das *Bernes* die Sprache der Bernus, Berner und Brüder. Das Kabylische*) muss nothwendig von Kappenleuten gesprochen werden, was denn auch dem gesammten Sprachgefüge seine Eigenthümlichkeiten verleiht. Das Pluralzeichen ist *n* (*en*, *in*), das ausserdem den Genitiv des Pronomens ausdrückt; *th* (= dieser, wie unser *du*, *thiu*) in An- und Auslaut kennzeichnet das *genus femininum*, blos anlautend das Neutrum, als ein halb Gezogenes: *amrar* Greis, *thamrarth* Greisin; *thafunast* Kuh, zusammengesetzt aus *tha* und *funis*, *thizi* Abhang = engl. *dizzi* schwindlig. *Argaz* Wespe, entsprechend dem *ἀργος***) oder Aargauer mit der Stachellanze,

---

*) *Hanoteau, Essai de grammaire kabyle.*

**) Die sprüchwörtliche Faulheit des Argen, der seine grösste Lust am *ki* (Lungern) hat, liegt für die Kabylen in *argu* träumen. Weil zehntpflichtig hat daselbst der Arge zum Schreiben (*aru*) Anlass gegeben, wie der Scharer zu *scribere*; im Kabylischen bildet er überhaupt den Stammvater einer zahlreichen Familie: *azscher* (אשר: Ahsscharer) Ochs, *abarer* Fuchs, *amrar* Greis, *taschersa* Pflugschar, *thamegra* Ernte, *err* zurückerstatten und verbrennen (den Schuldschein), *ers* niedersteigen (franz. *herse* Egge, Gatter, Hirse, Hirsch), *erz* erzen, zerschlagen, *erd* farzen, *erschez* arschen, marschiren, *iri* Rand Iris), *irf* Kopf (Erbe), *zer* sehen (wie Sara durch den Spalt der aufgezerrten Hausthür, also ein sich zierendes Benehmen).

enthält in den verschiedenen Casusformen den ursprünglichen Sinn der letzteren überhaupt: Nom. *argaz;* Gen. *burgaz* Burg- oder Bergefall; Dat. *jurgaz* Streitfall, *jurgium*, Jürgass, Jörge; Acc. *argaz;* Voc. *ai argaz* Verwunderungsfall; Abl. *segurgaz* Schneidefall (*secare*: durch!). Dem Zeitwort angeheftet, bedeutet in der directen Construction *i* ich, *k* du (weibl. *kem*), *th* er (*ts* sie), *ar* wir, *kun* ihr (weibl. *kunt*), *then eux* (*thent elles*); in der indirecten Construction *i* (*ii*) mir, *ak* (*iak*) dir (männl.), *am* (*iam*) dir (weibl.), *as* (*ias*) ihm, ihr. Sichtbar sind die Abkürzungen aus *nek* ich, *ketsch* du (männl.), *kem* du (weibl.), *netsa* er, *nukni* wir (männl.), *kunui* (ihr = männl. Kunne), *nitheni* sie (männl.).

Ein eigentliches Hilfszeitwort kennt das Kabylische nicht, so wenig als ein ächtes Passivum und verschiedene Conjugationsweisen. Das Paradigma ist folgendes:

Aorist.

	1 — — *r*		1 — *n* —
Sing.	2 — *th* — *dh*	Plur.	2 (masc.) *th* — *m*
	3 (masc.) — *i*		(fem.) *th* — *mth*
	(fem.) — *th*		3 (masc.) — *n*
			(fem.) — *nt.*

Futurum.

	1 *ad* — *r*		1 *ann* —
Sing.	2 *at* — *dh*	Plur.	2 (masc.) *at* — *m*
	3 (masc.) *adi* —		(fem.) *at* — *mth*
	(fem.) *at* —		3 (masc.) *ad* — *n*
			(fem.) *ad* — *nt.*

Aus dem oben angegebenen Werthe der betreffenden Buchstaben lässt sich das vorausgesetzte sinnbildliche Grundschema ohne alle Schwierigkeiten ableiten. Der *m*-Laut namentlich drückt ein leidendes (passives) Verhalten aus: *ers* niedersteigen, *erz* zerschlagen, *merz* im Sinn von Werden, und zwar dessen, was im Monat März auf dem *Campus Martius* (Märzfeld) und der Worthe durch die Martes (Merze, Hämmer) und Wertheimer wird; *etsch* essen (von *ahs*, wie auch der Fluss gleichen Namens), *metsch* verzehrt werden (matschen, mischen, messen). *n* negirt wie überall, in der secundären Bedeutung von Nahesein. Ein vorgesetztes *a* bezeichnet das *mascul. Sing.*; ein der dritten Person *mascul. Sing.* im Aorist oder Futurum angehängtes *n* bildet das *Partic. præs.* Wie im Lateinischen und Deutschen beim Futurum und Werden der *r*-Laut den Ausschlag gibt, so auch im Kabylischen der Fahrer- und Bauernlaut (*ra,* Präp. *rur*), der dem Farzen (*erd*) nachgebildet wurde. Ein verneintes Part. praes. wird durch *ur* — *n* ausgedrückt, offenbar weil ein erst Zukünftiges eine indirecte Verneinung des Gegenwärtigen enthält. Ein secundäres oder schwaches Substantiv entsteht durch ein dem Zeitwort vorgesetztes *a, am, an*, oder auch durch ein, zugleich mit dem präfigirten *a*, affigirtes *an.* Ein derartiges Hauptwort ist ein Infinitivsubstantivum, also eine Handlung oder ein Zustand. Durch *ts,* sowie durch Verdopplung des Endbuchstabens, entsteht ein Frequentativum: *ili* vorkommen, *tsili* häufig vorkommen (zielen, silen). Ein vorgesetztes *s* verleiht eine causative Bedeutung: *etsch* essen, *setsch* essen machen oder lassen; *azzel* laufen, *zizzel* hin- und herlaufen (kitzeln); *ali* steigen, *sali* eigent. zahlen, was von Seiten des Zehntpflichtigen, häufig und regelmässig zu geschehen hat.

Eine ähnliche Uebereinstimmung, insbesondere mit den ägyptischen Hieroglyphen und den Keilschriften, zeigen die Schriftzeichen eines Tuaregdialekts,*) die hier nach Analogie des semitischen Alphabets geordnet sind. Einzeln ausgesprochen klingt jeder Buchstab in *j* (Jochlaut) an.

		arab.	
ja: א, 1: *iiun*	•	ا	*a*
jab: ב, 2: *sin*	ⵙ ⊖	ب	*b*
jag: ג, 3: *thetha***)	⁙	گ	*g*
jad: ד, 4: *arbâ*	⊔ ∧ ⋂	د	*d* (ד י)

*) *Hanoteau* p. 361.

**) Ausser 1 und 2 lauten die übrigen Zahlen wie die leicht veränderten arabischen.

jah: ח, 5: *khamsa*	⁝	ه	*h*
— — —	::	ح	*h'*
ju: ו, 6: *settsa*	:	و	*u*
juz: ז, 7: *sebda*	ⵣ ⵣ ⵣ	ز	*z* (*jus*)
jukh: ח, 8: *themania*	⁝ ḥ	خ	*kh* (*jugum*)
jut': ט, 9: *tsâ*	Ɛ [ш with dot] Ɛ	ط	*t*
— — —	[3-like sign] [ш]	ظ	—
— — —	[ב-like sign]	ض	*dh* (*jud*)
ji: י, 10 *)	٦ ε ٤	ى	*î*
jik: כ, 20	∵ ∴	ك	*k*
jil: ל, 30	‖	ل	*l* (*ille*)
jim: מ, 40	ɔ ⊃ ב	م	*m* (*manus, minus*)
jin: נ, 50	I	ن	*n* (*natans, nitens*)
jis: ס, 60	⊙	س	*s* (süss, *sus, suus*)
jogh: ע, 70	9	ش	*gh* (*ghoi*)
jof: פ, 80	[H-like sign]][	ڢ	*f*
jos: צ, 90	ⵌ [circle with dots]	ص	*ç*
jozz — —	—	—	*zz*
jokh: ק, 100	⁙ ...	ڧ	*k'*
jor: ר, 200	⁝	ع	*r*
jor' —,—	... ⁝	غ	*r'* (Jahr)
jorr — —	○ □	ر	*rr*
josch: שׁ, 300	X X X	ج	*sch*
jot: ת, 400	+	ت	*t*

Mehr bedarf es nicht, um die glänzenden Untersuchungen Oppert's in die grossartigste Perspektive zu rücken. Bei der ungeheuren Wichtigkeit, welche das *t* als Ziehzeichen auch im Kabylischen hat, erklärt es sich, dass da, wo dasselbe an den Schluss einer Sylbe zu stehen kommt, zusammengesetzte Zeichen sich bildeten. So entstanden:

jabt: +⊖ (⊖ u. +)	*jist*: ⊕ (⊙ u. +)
jilt: [‖ with cross] (= η ‖ u. +)	*joghl*: [9 with cross] (9 u. +)
jint: + (| u. +)	*jort*: -○ (○ u. +).

*) *Aschera* = אשר (Ascher): Aschen- und Eschenmann (איש).